Quinoa
tous les jours

RENA PATTEN

Quinoa
tous les jours

Guy Saint-Jean ÉDITEUR

Table des matières

Ce livre est dédié aux communautés indigènes des Andes qui,
de siècle en siècle, ont su préserver le quinoa dans son état naturel
en transmettant judicieusement leurs connaissances,
leurs pratiques et leurs méthodes traditionnelles. Merci !

Remerciements

Merci à ma styliste Tracy Rutherford et à ma photographe Sue Stubbs, qui ont su mettre
beaucoup de beauté dans mon livre. J'ai beaucoup aimé travailler avec vous.
Toute ma gratitude à ma famille extraordinaire qui ne cesse de m'encourager
avec beaucoup de générosité et de patience.
Je remercie mon mari Graeme, mon fils Chris, mes filles Alex et Nikki et leurs maris
Lachlan et Marcus. Une pensée de tendresse pour mes petits-enfants Madison et Kobe
ainsi que pour mes parents, Lina et John, que j'aime plus que je ne suis capable de l'exprimer.
Une pensée toute particulière pour notre Zac adoré qui nous manque tellement.
Tu es toujours dans nos pensées et tu resteras dans nos cœurs à tout jamais.

Introduction

Le quinoa pourrait jouer un rôle de premier plan dans l'alimentation humaine au cours des siècles à venir. Ses graines très nutritives devraient faire partie de tout régime équilibré et il est bon de toujours en avoir dans son garde-manger. Ce livre vous apprendra à intégrer le quinoa dans votre alimentation quotidienne et à l'apprêter de différentes façons.

Si vous faites partie de ceux qui en consomment chaque jour, vous n'avez certes pas besoin d'être convertis. Mais si vous venez tout juste de l'essayer ou d'en entendre parler, je vous souhaite la bienvenue dans cet univers où bon goût et bonne santé vont de pair.

Même dans mes rêves les plus fous, je n'aurais jamais pu imaginer que je consacrerais autant de temps à vanter les mérites du quinoa et à créer de nouvelles recettes le mettant en valeur. J'adore expliquer aux gens comment on peut tirer profit de cet aliment excellent pour la santé.

Depuis quelques années, on s'intéresse de plus en plus à cette supercéréale dont j'expliquerai l'origine dans les pages suivantes. Dans le cadre de mon travail de promotion, je remarque à quel point le grand public est intéressé d'en connaître davantage sur ses innombrables vertus nutritives et les multiples façons d'utiliser les graines, les flocons et la farine. Plusieurs personnes prennent la peine de me souligner à quel point leur alimentation et celle de leur famille s'est améliorée depuis que le quinoa figure à leur menu. Il n'est pas rare qu'elles aient été initiées au quinoa par un professionnel de la santé, un naturopathe ou un diététiste leur ayant recommandé de l'inclure régulièrement dans leur alimentation.

Ces précieux commentaires me sont faits par des hommes et des femmes souffrant d'une intolérance au blé ou au gluten, mais aussi par des gens de tous les milieux qui, pour une raison ou une autre, se sont vus contraints de modifier leurs habitudes alimentaires pour jouir d'une meilleure santé. Certains d'entre eux ont dû améliorer leur régime à cause d'une maladie chronique ou récente. D'autres, qui souhaitaient simplement trouver un aliment de qualité pouvant remplacer le riz ou les pâtes, ont été surpris de perdre du poids en adoptant le quinoa. Ils m'ont raconté qu'ils avaient plus de facilité à contrôler leur poids depuis que cet aliment faisait partie de leur quotidien. Je suis aussi touchée par ceux qui avouent manger du quinoa simplement parce qu'ils aiment ça...

Il est étonnant de voir le grand nombre de personnes intolérantes au riz qui se disent enchantées d'avoir enfin découvert le quinoa et ses bienfaits pour la santé.

Mon principal objectif est de le faire connaître en mettant en lumière sa grande valeur nutritive et les mille et une façons de l'apprêter. Plusieurs personnes ne savent pas encore qu'on peut aussi se le procurer sous forme de farine ou de flocons.

Je suis toujours surprise quand une personne me dit qu'elle a l'habitude de saupoudrer des graines de quinoa sur ses céréales du petit-déjeuner sans les avoir fait cuire au préalable. Elle finit toujours par admettre que le goût du quinoa cru ne lui plaît pas jusqu'à ce que je lui explique comment le préparer convenablement.

Le quinoa est un ingrédient particulièrement utile quand on doit cuisiner pour un groupe de personnes dont les besoins diététiques sont différents. Dans ce livre, j'utilise uniquement les graines, les flocons et la farine de quinoa. Je n'emploie aucune autre céréale ni aucune autre forme de gluten, de blé ou de riz. Je tiens à démontrer qu'il est possible de composer des repas délicieux et nutritifs grâce aux trois formes de quinoa les plus connues. Il n'est pas du tout nécessaire d'utiliser des produits à base de gluten ou de blé pour réussir un plat ou améliorer son goût.

Comme d'habitude, ne craignez pas de remplacer les épices et les fines herbes suggérées par vos préférées. Mes recettes sont de simples guides qu'il n'est pas nécessaire de suivre à la lettre, sauf dans le cas des produits de boulangerie et des pâtisseries pour lesquels il faut user d'une précision rigoureuse. J'ai choisi des ingrédients faciles à se procurer au supermarché ou chez le marchand de fruits et légumes.

Je n'hésite pas à utiliser des légumineuses en conserve, car elles nous facilitent grandement la tâche en cuisine. J'en ai toujours dans mon garde-manger, tout comme je conserve aussi quelques paquets d'épinards et de petits pois dans mon congélateur.

À la découverte du quinoa

La minuscule graine de quinoa est considérée comme un aliment presque complet parce qu'elle est très riche en protéines, remplie de vitamines et totalement exempte de gluten, de blé et de cholestérol. De plus, elle est presque toujours issue de la culture biologique et procure des bienfaits inestimables pour la santé. Elle est délicieuse et facile à préparer.

En résumé, le quinoa est une source complète de protéines en plus de contenir tous les acides aminés, oligo-éléments et vitamines nécessaires à notre survie.

La graine de quinoa est originaire de la cordillère des Andes, en Amérique du Sud, où on la consomme depuis plus de 5000 ans. Pendant plusieurs siècles, elle a été un aliment de base sacré pour la civilisation inca qui l'utilisait pour enrichir son alimentation composée principalement de maïs et de pommes de terre. On lui a donné les noms de « céréale mère » ou « or des Incas ». Encore aujourd'hui, elle joue un rôle très important dans la cuisine de cette partie du monde. Personnellement, je la qualifie de « supercéréale du siècle » !

Même si on le classifie souvent parmi les céréales, le quinoa est en fait la graine d'une plante cousine de l'épinard appelée *Chenopodium quinoa*. Cette graine pure et complète est un aliment quasiment parfait grâce à sa valeur nutritive incomparable. Elle renferme plus de protéines que toute autre céréale et, fait exceptionnel, elle contient aussi neuf acides aminés. Les sommités mondiales en matière de santé affirment que sa qualité protéinique est celle qui se rapproche le plus de celle du lait.

Sa teneur en acides aminés est extrêmement bien équilibrée et offre une quantité particulièrement élevée en lysine, un acide aminé indispensable à la croissance et à la réparation des tissus. Le quinoa est un aliment essentiel aux personnes végétariennes et végétaliennes préoccupées par leur apport quotidien en protéines.

Il s'agit également d'une très bonne source de manganèse, magnésium, potassium, phosphore, cuivre, zinc, vitamine E, vitamine B_6, riboflavine, niacine et thiamine. Le quinoa contient plus de calcium que le lait de vache et plus de fer que les autres céréales. Cet excellent antioxydant est aussi riche en fibres. Il contient plus de gras insaturés et un ratio plus faible en glucides que les autres céréales, et son indice glycémique (IG) est peu élevé. Ses bienfaits pour la santé sont vraiment innombrables.

Le quinoa peut être employé de nombreuses façons dans une multitude de recettes. Il est parfait dans les soupes et les desserts et permet de faire de magnifiques pâtes, pains et salades. On l'apprécie autant dans les plats végétariens que ceux à base de viande ou de poisson. Une fois cuit, il présente une texture très délicate. La farine de quinoa permet de faire une belle pâte à tarte qui devient toutefois détrempée plus rapidement qu'une pâte à base de gluten.

Je crois que le quinoa est un aliment parfait pour les personnes végétariennes et végétaliennes ou celles qui souffrent de la maladie cœliaque. Je suis d'avis que ceux qui doivent suivre une diète spéciale méritent eux aussi de profiter au maximum de l'importante abondance alimentaire dont nous disposons de nos jours. Grâce au quinoa, nous pouvons tous préparer des plats variés convenant à nos besoins alimentaires particuliers.

Je considère le quinoa comme un aliment naturel exceptionnel que j'ose qualifier de « superaliment de la nature ». Il est facile à préparer et à digérer en plus d'être agréable à manger. Sa légèreté fait en sorte qu'on ne sent jamais notre estomac surchargé après en avoir mangé. J'ai aussi observé que les desserts confectionnés avec de la farine de quinoa étaient souvent plus légers que ceux préparés avec de la farine de blé.

Le quinoa offre de nombreuses possibilités à ceux qui sont intolérants au blé ou au gluten, et ce, autant pour les repas de tous les jours que les occasions spéciales.

À quoi ressemble le quinoa?

La graine ronde et minuscule est entourée d'une fine ligne blanche se terminant en forme de « queue ». Pendant la cuisson, celle-ci se déroule en spirale et se détache pratiquement de la graine. Cet anneau blanc caractéristique est l'un des signes distinctifs de cette pseudo-céréale. Le quinoa cuit est très tendre au centre tandis que le cercle blanc reste un peu croquant. Sa texture est délicate et il gonfle presque quatre fois de volume pendant la cuisson.

On trouve dans le commerce différentes variétés de quinoa. On peut l'acheter sous forme de graines, de flocons et de farine, ce qui permet de le cuisiner de mille et une façons. La couleur de la graine varie du blanc opaque ou du jaune pâle au rouge, au violet, au brun et au noir. Les recettes de ce livre utilisent abondamment les graines, les flocons ou la farine afin que vous puissiez les apprécier de différentes manières.

On peut trouver du quinoa dans les magasins d'alimentation naturelle et la plupart des supermarchés. Quant à la boisson de quinoa, il n'est pas toujours facile de s'en procurer et son coût est plutôt élevé. On trouve aussi du quinoa soufflé à certains endroits. Si vous aimez le quinoa grillé, essayez la recette de la page 37 au lieu d'en acheter. Il se conservera assez longtemps dans un bocal en verre hermétique. Conservez-le dans le garde-manger et prenez la bonne habitude d'en saupoudrer sur le gruau, le yogourt ou la crème glacée. Il remplace agréablement les croûtons dans les soupes et les salades.

Le quinoa cuit peut remplacer les autres céréales dans la plupart des recettes. Son apparence et sa saveur sont toutefois différentes tandis que son léger goût de noisette est unique. On peut le servir en plat d'accompagnement, comme le riz, ou le mélanger à d'autres ingrédients pour composer un repas complet.

**Graines
de quinoa**

**Farine
de quinoa**

**Flocons
de quinoa**

La farine a un goût de noisette plus prononcé que les graines qui rappelle l'odeur de la terre. Elle est aussi légèrement amère, ce qui crée un beau contraste avec les ingrédients sucrés ou aromatiques utilisés dans les recettes. Les flocons remplacent admirablement la chapelure, surtout dans les farces et les enrobages. L'amertume subtile présente dans la farine et les flocons est due au fait qu'il est impossible de les rincer avant usage contrairement aux graines. Vous constaterez également que les recettes requérant une grande quantité de farine de quinoa, comme les gâteaux, sont toujours un peu plus foncées que si l'on avait employé de la farine ordinaire contenant du gluten.

Comment préparer le quinoa

Le quinoa pousse sous les climats arides, dans les sols très pauvres et à haute altitude. On croit que la survie de cette plante au cours des siècles est due à la saponine, une substance semblable au savon qui crée une couche amère autour de la graine pour la protéger contre les températures rigoureuses, les oiseaux et les insectes.

Il est important d'éliminer la saponine avant la cuisson. Même si le quinoa vendu dans le commerce est habituellement prélavé et prêt à être cuisiné, il est recommandé de bien le rincer afin qu'il ne reste plus aucun résidu. Je suggère de toujours rincer le quinoa avant de le faire cuire. Pour ce faire, mettez-le dans une passoire à mailles fines et rincez-le à l'eau froide. Frottez-le doucement entre vos doigts, puis égouttez-le. Les mailles de la passoire doivent être très fines, sinon vous perdrez une partie des graines.

Le quinoa cuit rapidement quand on le laisse mijoter dans l'eau, le bouillon ou le lait. Il suffit généralement d'une part de quinoa, de deux parts de liquide et de 10 minutes de cuisson. Vous devrez toutefois prolonger la cuisson si vous utilisez un liquide plus dense que l'eau (sauce, bouillon, lait, etc.). Les graines les plus foncées, rouges ou noires par exemple, doivent cuire un peu plus longtemps et conservent une texture plus croquante. Le temps de cuisson peut aussi varier selon la variété et l'âge du quinoa. Laissez-le reposer à couvert de 10 à 15 minutes après la cuisson afin qu'il soit tendre et duveteux. Détachez ensuite les graines à l'aide d'une fourchette.

On peut aussi cuire le quinoa au micro-ondes, mais cela exige beaucoup plus de temps et d'attention. Il faut mettre une part de quinoa et deux parts de liquide dans un plat convenant à ce genre de four et le cuire à puissance maximale pendant 7 minutes. On mélange ensuite le quinoa et on le couvre de pellicule de plastique avant de le laisser reposer de 7 à 8 minutes. Le temps de cuisson peut varier selon le type de four utilisé. On peut aussi cuire le quinoa dans un cuiseur à riz avec une part de quinoa et deux parts d'eau. On règle le thermostat comme pour le riz, puis on le laisse reposer à couvert pendant 5 à 10 minutes.

Pour un goût de noisette additionnel, il suffit de faire griller le quinoa avant de le faire cuire. Rincez-le, égouttez-le avec soin, puis faites-le griller à sec dans une petite poêle antiadhésive. Lorsque les graines commencent à éclater, retirez la poêle du feu et transvidez le quinoa dans une casserole contenant deux parts de liquide. Portez à ébullition, baissez le feu et laissez mijoter à couvert pendant 10 minutes.

On peut aussi faire germer le quinoa en mettant une part de quinoa rincé et trois parts d'eau dans un bocal en verre étanche. Laissez-le tremper pendant environ 2 heures, puis égouttez-le et rincez-le avant de le remettre dans le bocal. Mettez le couvercle et laissez germer les graines. Il est nécessaire de les rincer au moins deux fois par jour. Elles germeront en deux ou trois jours et il faudra les consommer dès qu'elles seront prêtes, car elles se conservent mal. Elles sont délicieuses en salade.

Pour préparer les salades de ce livre, faites d'abord cuire le quinoa et laissez-le refroidir complètement avant de le mélanger aux autres ingrédients.

Si vous avez l'intention de faire plusieurs salades pendant la semaine, faites cuire une grande quantité de quinoa que vous garderez au réfrigérateur et que vous utiliserez au fur et à mesure de vos besoins. Le quinoa cuit dans l'eau se conserve environ une semaine au frais. Pour la plupart des autres recettes de ce livre utilisant des graines de quinoa, faites-les cuire avec les autres ingrédients dans la même casserole. Choisissez le quinoa dont la couleur vous plaît le plus. Lorsque je mentionne une couleur spécifique dans une recette, c'est simplement pour la beauté visuelle du plat.

Les appareils de cuisson

Il est important de se rappeler que les appareils de cuisson, surtout les fours, n'ont pas tous la même puissance. Faites vos propres expériences afin de déterminer quel est le temps de cuisson idéal lorsque vous cuisinez à la maison.

Le temps de cuisson peut aussi varier selon les graines utilisées, la température du four et même le type et la grosseur de la casserole. Si tous les ingrédients doivent cuire ensemble, utilisez une poêle à frire large et profonde munie d'un couvercle. En plus de contenir une grande quantité d'aliments, elle permet que le quinoa et les autres ingrédients restent en contact avec une surface de cuisson plus large.

Petit-déjeuner

Ces barres sont idéales à l'heure du goûter ou si l'on doit prendre le petit-déjeuner sur le pouce. Et n'oubliez surtout pas d'en mettre dans la boîte à lunch de votre enfant ou le panier à pique-nique. Elles sont aussi très appréciées après une journée de sport en plein air.

Barres pour le petit-déjeuner

 Donne 16 barres

135 g (¾ de tasse) de farine
    de quinoa

1 c. à thé (à café) de levure
    chimique (poudre à pâte)
    sans gluten

100 g (1 tasse) de flocons
    de quinoa

1 c. à thé (à café)
    de cannelle moulue

180 g (¾ de tasse) de cassonade
    ou de sucre roux

150 g (1 tasse) de canneberges
    (airelles) séchées

150 g (1 tasse) d'abricots séchés

90 g (⅔ de tasse) de raisins
    secs dorés

125 g (¾ de tasse) de graines
    de tournesol

60 g (½ tasse) d'amandes
    en julienne, hachées

60 g (¼ de tasse) de beurre

120 g (⅓ de tasse) de miel

1 c. à thé (à café) de pâte
    ou d'extrait de vanille

2 gros œufs, battus légèrement

Préchauffer le four à 180 °C/350 °F/gaz 4. Graisser légèrement un moule de 29 cm x 19 cm (17 po x 7 ½ po) et tapisser de papier-parchemin.

Dans un bol, tamiser la farine de quinoa et la levure chimique, puis ajouter les flocons de quinoa, la cannelle et la cassonade. Bien mélanger jusqu'à ce qu'il ne reste plus de grumeaux.

Ajouter les fruits secs, les graines de tournesol et les amandes, puis bien mélanger.

Dans une petite casserole, à feu doux, mélanger le beurre avec le miel jusqu'à ce qu'il soit fondu. Incorporer la vanille. Verser dans le bol contenant les ingrédients secs, ajouter les œufs et mélanger avec soin.

Verser la préparation dans le moule, puis la presser fermement avec le dos d'une cuillère. Cuire au four de 20 à 25 minutes ou jusqu'à ce que le dessus soit doré.

Retirer du four et laisser refroidir environ 15 minutes avant de découper en 16 barres de même grosseur. Laisser reposer pendant quelques minutes avant de déposer sur une grille (soulever les barres à l'aide du papier-parchemin). Laisser refroidir complètement.

Ce mélange de quinoa, de graines et de fruits séchés est bon à toute heure du jour !
Il ajoute de la couleur et des vitamines dans les boîtes et les sacs à lunch. Vous pouvez remplacer
le sirop d'érable par de la mélasse claire, mais le goût sera différent. Soyez très vigilant tout au
long de la cuisson, car le granola peut brûler en un rien de temps. Le quinoa rouge ajoute une belle
texture au granola, car les grains plus foncés sont plus croquants que les blancs.

Granola croustillant

Donne 1 kg (8 tasses)

Dans une casserole, porter l'eau et le quinoa à ébullition. Baisser le feu et laisser mijoter pendant 10 minutes ou jusqu'à ce que l'eau soit complètement absorbée. Retirer du feu, enlever le couvercle et laisser refroidir complètement.

Préchauffer le four à 160 °C/325 °F/gaz 3. Tapisser deux grandes plaques de papier-parchemin.

Dans un grand bol, mélanger les flocons de quinoa, le quinoa refroidi, les amandes, les graines de citrouille, de tournesol et de sésame, la cannelle et la muscade.

Ajouter la vanille, le sirop d'érable, la cassonade, le miel et l'huile, puis mélanger avec soin.

Étaler la préparation uniformément sur les plaques. Cuire le granola au four de 30 à 40 minutes ou jusqu'à ce qu'il soit croustillant et bien doré. Remuer une ou deux fois en cours de cuisson en prenant soin de toujours l'étaler uniformément pour l'empêcher de brûler.

Laisser refroidir complètement à température ambiante avant d'ajouter les canneberges et les raisins secs. Conserver dans un contenant hermétique. Servir le granola avec du lait ou du yogourt ou en saupoudrer un peu dans un bol de gruau.

375 ml (1 ½ tasse) d'eau

135 g (¾ de tasse) de quinoa rouge, rincé et égoutté

150 g (1 ½ tasse) de flocons de quinoa

120 g (1 tasse) d'amandes mondées

80 g (⅓ de tasse) de graines de citrouille ou de potiron

75 g (½ tasse) de graines de tournesol

60 g (½ tasse) de graines de sésame

2 c. à thé (à café) de cannelle moulue

½ c. à thé (à café) de muscade moulue

1 c. à soupe d'extrait de vanille

80 ml (⅓ de tasse) de sirop d'érable

80 g (⅓ de tasse) de cassonade pâle ou de sucre roux bien tassé

120 g (⅓ de tasse) de miel

2 c. à soupe d'huile d'olive douce

150 g (1 tasse) de canneberges (airelles) séchées

150 g (1 tasse) de raisins secs dorés

Voici une belle recette à faire sans se presser le dimanche matin, surtout si l'on attend des invités. Cette frittata est aussi fort appréciée à l'heure du brunch ou du repas du midi en plus de faire un repas du soir tout léger. Vous pouvez remplacer le bacon par du jambon ou du chorizo ou simplement omettre la viande pour faire un plat végétarien remarquable.

Frittata aux asperges et au bacon

6 portions

375 ml (1 ½ tasse) d'eau

135 g (¾ de tasse) de quinoa, rincé et égoutté

2 c. à soupe de beurre

6 oignons verts, en tranches

4 tranches de bacon, en lanières

2 bottes d'asperges, parées et coupées en tranches

10 gros œufs

125 ml (½ tasse) de lait

2 c. à soupe de ciboulette fraîche, hachée

Sel et poivre du moulin

Dans une petite casserole, porter l'eau et le quinoa à ébullition. Baisser le feu, couvrir et laisser mijoter pendant 10 minutes ou jusqu'à ce que l'eau soit complètement absorbée.

Entre-temps, dans une poêle moyenne, chauffer le beurre et faire revenir les oignons verts et le bacon jusqu'à ce que ce dernier commence à être croustillant.

Ajouter les asperges et cuire de 2 à 3 minutes ou jusqu'à ce qu'elles soient tendres mais encore un peu croquantes.

Dans un bol, à l'aide d'un fouet, battre les œufs avec le lait et assaisonner au goût.

Lorsque les asperges sont prêtes, ajouter le quinoa dans la poêle, puis verser les œufs en remuant doucement.

Cuire à feu moyen jusqu'à ce que le dessous de la frittata soit pris mais que le dessus soit encore légèrement coulant.

Garnir de ciboulette et placer la poêle sous le gril préchauffé du four. Cuire jusqu'à ce que la frittata soit complètement cuite et bien dorée.

Laisser reposer de 2 à 3 minutes avant de faire glisser la frittata dans une grande assiette à l'aide d'une spatule. On peut aussi la servir directement dans la poêle.

On peut préparer cette recette avec du lait entier ou pauvre en gras ou encore avec du lait sans lactose.

Gruau crémeux aux pommes et à la cannelle

4 à 6 portions

Hacher grossièrement les pommes avant de les mettre dans une casserole moyenne avec l'eau et 2 c. à soupe de cassonade.

Porter à ébullition, baisser le feu et laisser mijoter pendant 5 minutes.

Ajouter les flocons de quinoa, le lait, la vanille et ½ c. à thé (à café) de cannelle. Goûter et ajouter de la cassonade et de la cannelle au besoin.

Porter à ébullition à feu moyen, puis laisser mijoter à feu très doux de 5 à 7 minutes ou jusqu'à ce que le gruau soit épais et crémeux.

Servir avec du lait au goût et saupoudrer généreusement de quinoa grillé.

2 pommes non pelées

250 ml (1 tasse) d'eau

2 à 3 c. à soupe de cassonade ou de sucre roux

100 g (1 tasse) de flocons de quinoa

750 ml (3 tasses) de lait

1 c. à thé (à café) d'extrait de vanille

½ à 1 c. à thé (à café) de cannelle moulue

Quinoa grillé (recette page 37)

Pour faire de bonnes crêpes végétariennes, remplacez le jambon par des épinards hachés finement ou du maïs cuit.

Crêpes salées au babeurre

4 portions

225 g (1 ½ tasse) de farine
   de quinoa
1 c. à thé (à café) de levure
   chimique (poudre à pâte)
1 c. à thé (à café) de bicarbonate
   de soude
3 gros œufs
1 c. à soupe de moutarde anglaise
430 ml (1 ¾ tasse) de babeurre
200 g (7 oz) de jambon, haché
250 g (1 tasse) de ricotta
3 c. à soupe de parmesan, râpé
2 c. à soupe de ciboulette fraîche,
   hachée
Beurre
Sirop d'érable (facultatif)
Sel et poivre du moulin

Dans un bol, tamiser la farine de quinoa avec la levure chimique et le bicarbonate de soude. Assaisonner au goût.

Dans un autre bol, à l'aide d'un fouet, battre les œufs avec la moutarde, puis verser le babeurre.

Avec le fouet, mélanger les ingrédients secs avec les ingrédients humides jusqu'à ce que la pâte soit bien lisse. Ajouter le jambon, la ricotta, le parmesan et la ciboulette. Si possible, laisser reposer la pâte pendant au moins 10 minutes avant de cuire les crêpes.

Dans une poêle antiadhésive, à feu moyen, chauffer un peu de beurre jusqu'à ce qu'il soit mousseux. Verser environ 80 ml (⅓ de tasse) de pâte et l'étaler en forme de cercle.

Cuire la crêpe jusqu'à ce que des bulles apparaissent à la surface, puis la retourner pour la cuire de l'autre côté pendant 30 secondes environ.

Réserver au chaud dans une assiette et cuire les autres crêpes de la même façon.

Servir les crêpes chaudes avec un peu de sirop d'érable.

Cette recette étant très généreuse, on peut évidemment congeler une partie des muffins. Ils sont délicieux chauds ou froids et ils restent frais et tendres pendant 3 ou 4 jours. Les enfants les adorent et sont toujours ravis d'en trouver un ou deux dans leur boîte à lunch.

Muffins miniatures aux bananes

Donne 48 muffins

Préchauffer le four à 160 °C/325 °F/gaz 3. Chemiser deux moules à muffins miniatures ayant 24 cavités chacun.

Écraser les bananes avec le jus de citron et réserver.

Dans un grand bol, tamiser la farine de quinoa, le sucre, le bicarbonate de soude, la levure chimique et le sel. Verser le lait dans un bol, puis ajouter les œufs, la vanille et l'huile en battant avec soin.

Creuser une fontaine au centre des ingrédients secs et verser lentement les ingrédients liquides en mélangeant jusqu'à consistance homogène.

Incorporer les bananes écrasées et mélanger un peu.

Remplir les moules aux trois quarts et couvrir chaque muffin avec une tranche de banane.

Cuire les muffins au four environ 20 minutes ou jusqu'à ce qu'ils soient gonflés et qu'une brochette de bois insérée au centre en ressorte propre.

2 bananes très mûres

2 c. à thé (à café) de jus de citron

300 g (2 tasses) de farine de quinoa

240 g (1 tasse) de sucre semoule (superfin)

1 c. à thé (à café) rase de bicarbonate de soude

½ c. à thé (à café) rase de levure chimique (poudre à pâte) sans gluten

½ c. à thé (à café) de sel

180 ml (¾ de tasse) de lait

2 gros œufs

2 c. à thé (à café) de pâte ou d'extrait de vanille

60 ml (¼ de tasse) d'huile d'olive douce ou d'huile végétale

1 banane, coupée en 48 tranches fines (facultatif)

Tous les petits fruits font bonne figure dans cette recette. Si vous n'avez pas le temps de préparer la sauce, ajoutez 240 g (1 ½ tasse) de petits fruits dans la pâte avant la cuisson et servez les crêpes avec du sirop d'érable.

Crêpes à la ricotta et sauce aux petits fruits

225 g (1 ½ tasse) de farine
   de quinoa
1 c. à thé (à café) de levure
   chimique (poudre à pâte)
1 c. à thé (à café) de bicarbonate
   de soude
2 c. à soupe de sucre
3 gros œufs
1 ½ c. à thé (à café) de pâte
   ou d'extrait de vanille
430 ml (1 ¾ tasse) de babeurre
400 g (1 ⅔ tasse) de ricotta
Beurre
Sirop d'érable (facultatif)
Yogourt nature (facultatif)

SAUCE AUX PETITS FRUITS
480 g (3 tasses) de bleuets
   (myrtilles) ou autres petits fruits
   surgelés
60 g (¼ de tasse) de sucre

Dans un bol, tamiser la farine de quinoa avec la levure chimique et le bicarbonate de soude. Mélanger avec le sucre.

Dans un autre bol, à l'aide d'un fouet, battre les œufs avec la vanille, puis verser le babeurre.

Toujours à l'aide du fouet, mélanger les ingrédients secs avec les ingrédients humides jusqu'à ce que la pâte soit bien lisse. Ajouter la ricotta.

Dans une poêle antiadhésive, à feu moyen, chauffer un peu de beurre jusqu'à ce qu'il soit mousseux. Verser environ 80 ml (⅓ de tasse) de pâte et l'étaler en forme de cercle.

Cuire la crêpe jusqu'à ce que des bulles apparaissent à la surface, puis la retourner pour la cuire de l'autre côté pendant 30 secondes environ.

Réserver au chaud dans une assiette et cuire les autres crêpes de la même façon.

Empiler les crêpes dans des assiettes individuelles et napper de sauce aux petits fruits ou de sirop d'érable et de yogourt nature.

Sauce aux petits fruits : dans une casserole moyenne, à feu doux, mélanger les petits fruits surgelés avec le sucre. Dès qu'ils sont décongelés, que le sucre est fondu et que la préparation commence à bouillonner, laisser mijoter de 2 à 3 minutes en évitant de mélanger. (On peut toutefois remuer la casserole légèrement de temps à autre.)

On peut varier la quantité de sucre au goût ou selon l'acidité des fruits.

Smoothie aux fruits

Au mélangeur, mixer tous les ingrédients jusqu'à consistance lisse et épaisse. Pour obtenir une boisson protéinée, ajouter un blanc d'œuf. On peut remplacer le lait par du jus de pomme ou un mélange moitié-moitié de lait et de jus. On peut remplacer les petits fruits par des bananes, des mangues, des pêches ou tout autre fruit surgelé.

160 g (1 tasse) de petits fruits surgelés

35 g (⅓ de tasse) de flocons de quinoa

1 à 2 c. à soupe de miel

250 ml (1 tasse) de lait pauvre en gras

60 ml (¼ de tasse) d'eau

1 c. à thé (à café) d'extrait de vanille

1 blanc d'œuf (facultatif)

Boisson santé

Au mélangeur, mixer tous les ingrédients jusqu'à consistance lisse et épaisse. Ajouter un peu d'eau si la boisson est trop épaisse. On peut remplacer le chou par d'autres légumes verts au choix, par exemple des épinards et du concombre. Le yogourt donne une touche crémeuse à la boisson, mais il n'est pas indispensable.

Quelques feuilles de chou vert frisé, hachées

1 grosse pomme verte non pelée, évidée et épépinée

50 g (½ tasse) de flocons de quinoa

2 c. à soupe de miel ou de sirop d'agave

500 ml (2 tasses) de jus de pomme

2 tiges de céleri, hachées grossièrement

Un peu de basilic frais (facultatif)

Le jus de ½ à 1 citron

2 c. à soupe de yogourt nature grec

Glaçons

Servis chauds ou froids, ces muffins vous permettront de bien manger tous les matins même lorsque vous êtes pressé ! Le bacon peut remplacer le chorizo ou on peut omettre la viande pour faire une recette végétarienne.

Muffins aux courgettes, au fromage et au chorizo

 Donne 12 muffins

150 g (1 tasse) de farine
    de quinoa

1 c. à thé (à café) de levure
    chimique (poudre à pâte)
    sans gluten

1 c. à thé (à café) de bicarbonate
    de soude

2 saucisses chorizo, hachées
    finement

360 g (3 tasses) de courgettes,
    râpées grossièrement

1 oignon, haché très finement

120 g (1 tasse) de fromage fort

5 œufs, battus légèrement

80 ml (⅓ de tasse) d'huile d'olive
    légère

Sel et poivre du moulin

Préchauffer le four à 180 °C/350 °F/gaz 4. Graisser légèrement un moule à muffins ayant 12 cavités.

Dans un bol, tamiser la farine de quinoa avec la levure chimique et le bicarbonate de soude. Réserver.

Dans une poêle antiadhésive, faire dorer légèrement le chorizo et égoutter sur du papier absorbant. Dans un bol, mélanger le chorizo, les courgettes, l'oignon et le fromage.

Ajouter les œufs et l'huile d'olive, puis mélanger avec la farine. Assaisonner au goût.

Verser la préparation dans les moules et cuire au four de 20 à 25 minutes ou jusqu'à ce que les muffins soient dorés et qu'une brochette de bois insérée au centre en ressorte propre. On peut préparer les muffins la veille et les réchauffer à l'heure du petit-déjeuner.

Vous pouvez saupoudrer du quinoa grillé sur pratiquement tous vos aliments préférés : gruau, crème glacée, compote, salades de fruits, etc. Il remplace magnifiquement les croûtons dans les soupes et donne une belle texture croquante aux salades. Ayez-en toujours dans votre garde-manger.

Quinoa grillé

Donne environ 360 g (2 tasses)

500 ml (2 tasses) d'eau
180 g (1 tasse) de quinoa,
* rincé et égoutté*

Dans une petite casserole, porter l'eau et le quinoa à ébullition. Baisser le feu, couvrir et laisser mijoter pendant 10 minutes ou jusqu'à ce que l'eau soit complètement absorbée. Retirer du feu et laisser reposer pendant 10 minutes.

Étaler le quinoa sur une plaque et laisser refroidir complètement afin d'éliminer une partie de l'humidité.

Une fois le quinoa refroidi, chauffer une large poêle antiadhésive à feu moyen-vif. Étaler le quinoa dans la poêle et faire griller, en remuant souvent, de 15 à 20 minutes ou jusqu'à ce qu'il soit doré et croustillant.

Après 8 à 10 minutes de cuisson, dès que le quinoa commence à dorer, il faut le surveiller sans cesse afin de l'empêcher de brûler.

On peut aussi faire griller le quinoa dans le four préchauffé à 200 °C/ 400 °F/gaz 6. Étaler le quinoa bouilli et refroidi sur une plaque tapissée de papier-parchemin et cuire, en remuant régulièrement, de 10 à 15 minutes ou jusqu'à ce qu'il soit doré au goût.

La méthode sur la cuisinière offre l'avantage de pouvoir mieux contrôler la cuisson, mais le résultat est le même.

Laisser refroidir complètement le quinoa avant de le verser dans un bocal à conserves étanche. Il se conservera pendant une semaine environ.

Soupes

Cette soupe réconfortante aide à détoxifier l'organisme. Elle est excellente pour la santé et se prépare rapidement. Pour l'enrichir de protéines, ajoutez des tranches de poulet cru très minces au bouillon dès le début de la préparation. Vous pouvez doubler les quantités d'ingrédients sans problème.

Soupe asiatique

4 portions

2 litres (8 tasses) de bouillon
    de poulet ou de légumes

1 tige de citronnelle, écrasée

2 anis étoilés

1 c. à soupe de gingembre frais,
    râpé

1 grosse gousse d'ail, écrasée

120 g (⅔ de tasse) de quinoa, rincé
    et égoutté

100 g (½ tasse) de shiitakes,
    en tranches

640 g (4 tasses) de chou chinois
    (bok choy ou bok choy sum),
    haché

4 oignons verts, en tranches

1 piment rouge, en tranches

2 c. à soupe de sauce de poisson

2 à 3 c. à soupe de tamari

250 ml (1 tasse) de bouillon
    ou d'eau (facultatif)

Germes de haricot

Feuilles de coriandre fraîche

Jus de lime (citron vert)

Dans une grande casserole, porter le bouillon à ébullition avec la citronnelle, l'anis étoilé, le gingembre et l'ail.

Ajouter le quinoa, baisser le feu, couvrir et laisser mijoter à feu doux pendant 15 minutes ou jusqu'à ce que le quinoa soit presque cuit.

Ajouter les champignons, le chou, les oignons verts, le piment, la sauce de poisson et le tamari. Ramener à ébullition, baisser le feu et laisser mijoter pendant 5 minutes. Ajouter le bouillon ou l'eau si la soupe est trop épaisse.

Retirer la citronnelle et servir dans des bols. Garnir au goût de germes de haricot, de coriandre et de jus de lime.

Vous pouvez employer des cuisses ou des pilons de poulet, mais assurez-vous qu'il ne reste aucun os dans la soupe avant de la servir. Les os les plus petits sont les plus dangereux!

Soupe crémeuse au poulet et aux poireaux

6 portions

Dans une grande casserole, chauffer le beurre et l'huile d'olive, puis faire revenir les poireaux, le céleri et l'oignon jusqu'à ce qu'ils soient tendres et légèrement colorés.

Retirer la peau des cuisses de poulet (facultatif) et les mettre dans la casserole avec le bouillon, le clou de girofle et les grains de poivre. Porter à ébullition.

Baisser le feu et laisser mijoter de 30 à 40 minutes ou jusqu'à ce que le poulet soit cuit. Écumer régulièrement la mousse qui se forme à la surface.

Retirer le poulet et réserver. Réduire la soupe en purée et ramener à ébullition. Ajouter le quinoa et saler au goût. Baisser le feu, couvrir et laisser mijoter de 20 à 30 minutes ou jusqu'à ce que le quinoa soit cuit.

Entre-temps, retirer la peau du poulet si ce n'est déjà fait et effilocher la chair.

Ajouter le poulet et la crème à la soupe et bien mélanger. Rectifier l'assaisonnement au besoin et laisser mijoter à feu très doux pendant 5 minutes pour réchauffer le poulet et la crème.

Servir dans des bols et poivrer au goût.

1 c. à soupe de beurre

1 à 2 c. à soupe d'huile d'olive

2 gros poireaux, en tranches

3 branches de céleri, hachées grossièrement

1 oignon jaune, haché

1 kg (2 lb) de cuisses de poulet (environ 6)

2 litres (8 tasses) de bouillon de poulet ou d'eau

1 pincée de clou de girofle moulu

10 à 12 grains de poivre

135 g (¾ de tasse) de quinoa rouge, rincé et égoutté

125 ml (½ tasse) de crème

Sel et poivre du moulin

Le pied-mélangeur (mixeur-plongeur) est extrêmement utile pour réduire les soupes en purée. C'est plus simple et plus rapide !

Soupe aux poivrons grillés et au basilic

6 à 8 portions

1,5 kg (3 lb) de poivrons rouges

2 gros oignons rouges, épluchés

1 tête d'ail, coupée en deux

Huile d'olive

2 litres (8 tasses) de bouillon de légumes ou de poulet, chaud

Le zeste râpé de 1 citron

135 g (¾ de tasse) de quinoa, rincé et égoutté

3 ou 4 c. à soupe de basilic frais, haché finement

Yogourt nature grec

Jus de citron

Sel et poivre du moulin

Préchauffer le four à 200 °C/400 °F/gaz 6. Tapisser une grande plaque de papier-parchemin.

Couper les poivrons en deux, épépiner, évider et couper en gros morceaux.

Couper les oignons en tranches épaisses et disposer sur la plaque avec les poivrons et l'ail.

Arroser d'huile d'olive et assaisonner généreusement.

Mélanger les légumes avec les mains pour bien les enrober d'huile.

Cuire au four de 40 à 50 minutes ou jusqu'à ce que les poivrons soient tendres et légèrement noircis. Peler les poivrons si désiré (la pelure donne une belle texture à la soupe). Éplucher l'ail et, à l'aide du robot culinaire ou du pied-mélangeur, réduire tous les légumes en purée avec le bouillon.

Verser la purée dans une casserole et porter à ébullition. Dès que la soupe commence à bouillonner, ajouter le zeste de citron et le quinoa. Baisser le feu, couvrir et cuire à feu doux pendant 20 minutes ou jusqu'à ce que la cuisson du quinoa soit terminée.

Incorporer le basilic et laisser reposer de 10 à 15 minutes.

Servir avec du yogourt nature et du jus de citron au goût.

La recette indique d'employer des tomates en conserve parce qu'on en a presque toujours dans le garde-manger et qu'elles sont peu coûteuses. Mais si vous avez la chance d'avoir des tomates fraîches sous la main, n'hésitez pas à les utiliser. Il vous faudra alors 1,5 kg (3 lb) de tomates coupées en quartiers. Avant de réduire la soupe en purée, retirez les pelures qui se seront détachées de la pulpe pendant la cuisson.

Soupe aux tomates, aux poireaux et à la coriandre

4 à 6 portions

Dans une petite poêle antiadhésive sans matière grasse, faire griller les graines de coriandre et de cumin environ 1 minute, jusqu'à ce qu'elles commencent à libérer leurs parfums. Retirer du feu immédiatement et réduire en poudre dans un mortier. Réserver.

Dans une grande casserole, chauffer l'huile d'olive et faire revenir l'oignon et le poireau jusqu'à ce qu'ils soient tendres. Ajouter l'ail ainsi que la coriandre et le cumin moulus. Cuire pendant 1 minute.

Ajouter les tomates, le sucre, le bouillon et la coriandre fraîche. Assaisonner au goût et porter à ébullition. Baisser le feu et laisser mijoter environ 30 minutes.

Réduire la soupe en purée et transvider dans la casserole. Ajouter le quinoa et l'eau bouillante, puis ramener à ébullition. Baisser le feu, couvrir et laisser mijoter pendant 15 minutes.

Garnir de ciboulette et servir avec du jus de citron au goût.

1 c. à soupe de graines de coriandre séchées

1 c. à thé (à café) de graines de cumin

2 c. à soupe d'huile d'olive

1 gros oignon, haché

1 poireau, en tranches

4 gousses d'ail, hachées

1,6 kg (8 tasses) de tomates italiennes en dés en conserve, avec le jus

1 à 2 c. à thé (à café) de sucre (selon l'acidité des tomates)

1,5 litre (6 tasses) de bouillon de légumes, chaud

1 grosse poignée de coriandre fraîche, hachée grossièrement

120 g (⅔ de tasse) de quinoa, rincé et égoutté

125 ml (½ tasse) d'eau bouillante

Ciboulette fraîche, hachée

Jus de citron ou de lime (citron vert)

Sel et poivre du moulin

Voici l'une de ces soupes qui nous procurent chaleur et réconfort pendant la saison froide. Ajoutez un peu d'eau si vous trouvez la consistance trop épaisse.

Soupe aux courgettes et au bacon

 4 à 6 portions

2 c. à soupe d'huile d'olive

300 g (10 oz) de bacon,
  en morceaux

2 gros oignons, hachés finement

2 c. à soupe de pâte ou de concentré
  de tomates

1 kg (8 tasses) de courgettes, râpées
  grossièrement

2 gousses d'ail, hachées finement

2 litres (8 tasses) de bouillon
  de bœuf, chaud

135 g (¾ de tasse) de quinoa, rincé
  et égoutté

2 ou 3 c. à soupe de vinaigre
  balsamique

Mozzarella de bufflonne

Sel et poivre du moulin

Dans une grande casserole, à feu moyen, chauffer l'huile d'olive et faire dorer légèrement le bacon.

Ajouter les oignons et cuire jusqu'à ce qu'ils soient tendres. Incorporer la pâte de tomates et cuire environ 2 minutes.

Ajouter les courgettes et l'ail, puis verser le bouillon. Assaisonner au goût en n'oubliant pas que le bacon est déjà très salé.

Porter à ébullition, baisser le feu, couvrir et laisser mijoter pendant 5 minutes.

Ajouter le quinoa, couvrir et laisser mijoter à feu doux pendant 30 minutes ou jusqu'à ce qu'il soit cuit.

Ajouter le vinaigre balsamique (ou le verser dans un petit bol afin que les convives puissent se servir à table).

Garnir de morceaux de mozzarella.

Si vous aimez les champignons, vous serez enchanté par cette soupe généreuse et réconfortante. Vous pouvez utiliser vos variétés de champignons préférées. L'ajout de quinoa grillé au moment de servir apporte une agréable texture croquante à l'ensemble.

Soupe aux champignons et aux courgettes

6 à 8 portions

Dans une grande casserole, chauffer l'huile d'olive et faire sauter l'oignon jusqu'à ce qu'il soit tendre. Ajouter les champignons, les courgettes, l'ail et le thym, puis assaisonner au goût. Cuire jusqu'à ce que les légumes soient ramollis. Le sel aidera les champignons à rendre leur eau de végétation.

Ajouter le zeste de citron et le bouillon, puis porter à ébullition. Baisser le feu et laisser mijoter pendant 30 minutes.

Réduire la soupe en purée, puis ramener à ébullition. Ajouter l'eau bouillante et le quinoa. Baisser le feu, couvrir et laisser mijoter de 15 à 20 minutes ou jusqu'à ce que la cuisson du quinoa soit terminée.

Servir avec un trait de jus de citron et garnir de fines herbes au goût.

2 c. à soupe d'huile d'olive

1 gros oignon jaune, haché grossièrement

1 kg (5 tasses) de champignons sauvages variés, hachés grossièrement (retirer les pieds trop filandreux)

750 g (6 ¼ tasses) de courgettes, hachées grossièrement

3 gousses d'ail, hachées grossièrement

2 c. à soupe de feuilles de thym

Le zeste râpé de 1 citron

2 litres (8 tasses) de bouillon de légumes ou de poulet

250 ml (1 tasse) d'eau bouillante

120 g (⅔ de tasse) de quinoa, rincé et égoutté

Jus de citron

Ciboulette ou thym frais, haché

Sel et poivre du moulin

Le quinoa noir requiert une cuisson un peu plus longue que le blanc ou le rouge. Vous devrez donc ajuster le temps de cuisson en conséquence. Les autres variétés de quinoa conviennent aussi à cette recette, mais le noir crée un superbe contraste avec la couleur rouge vif des betteraves. N'oubliez pas de porter des gants pour peler celles-ci, ce qui vous évitera de devoir vous laver les mains pendant de longues minutes après les avoir manipulées.

Soupe aux betteraves, à l'ail et au gingembre

 6 à 8 portions

1 c. à soupe d'huile d'olive

2 oignons rouges, hachés

4 grosses gousses d'ail, hachées

1 à 2 c. à soupe de gingembre frais,
    râpé

1 kg (6 tasses) de betteraves,
    pelées et hachées

Quelques brins de thym

Le zeste râpé de 1 lime
    (citron vert)

1 pincée de clou de girofle moulu

2 litres (8 tasses) de bouillon de
    poulet ou de légumes, chaud

120 g (⅔ de tasse) de quinoa noir,
    rincé et égoutté

Jus de lime (citron vert)

Yogourt nature grec,
    crème sure ou crème aigre

Sel et poivre du moulin

Dans une grande casserole, chauffer l'huile d'olive et faire sauter les oignons jusqu'à ce qu'ils soient tendres.

Ajouter l'ail et le gingembre et cuire de 1 à 2 minutes environ.

Ajouter les betteraves, le thym, le zeste de lime et le clou de girofle. Cuire pendant 2 minutes.

Verser le bouillon et assaisonner au goût. Porter à ébullition, baisser le feu et laisser mijoter de 40 à 45 minutes ou jusqu'à ce que les betteraves soient tendres.

Réduire la soupe en purée. Ramener à ébullition et ajouter le quinoa. Baisser le feu et laisser mijoter de 20 à 25 minutes ou jusqu'à ce que le quinoa soit cuit. Servir avec un trait généreux de jus de lime et un peu de yogourt.

Pour obtenir une chaudrée onctueuse et consistante, ajoutez un peu de crème juste avant de la retirer du feu.

Chaudrée de maïs aux crevettes

6 à 8 portions

Dans une grande casserole, à feu moyen-vif, chauffer l'huile d'olive et faire sauter l'oignon jusqu'à ce qu'il soit tendre et légèrement coloré. Ajouter l'ail et faire revenir pendant 30 secondes.

Ajouter le maïs en crème et le maïs surgelé, les piments et le bouillon. Remuer et porter à ébullition. Baisser le feu, couvrir et laisser mijoter à feu moyen-doux pendant 15 minutes.

Ajouter le quinoa, assaisonner au goût et ramener à ébullition. Baisser le feu, couvrir et laisser mijoter pendant 15 minutes.

Ajouter les crevettes et le lait. Rectifier l'assaisonnement au besoin et laisser mijoter à couvert pendant 10 minutes.

Éteindre le feu, incorporer la ciboulette et laisser reposer à couvert environ 10 minutes avant de servir. Plus le temps de repos sera long et plus le quinoa continuera de se gonfler de liquide.

Servir avec un trait de jus de lime et un peu de crème au goût.

2 c. à soupe d'huile d'olive

1 gros oignon, haché

2 gousses d'ail, hachées finement

800 g (3 tasses) de maïs en crème en conserve

500 g (2 ½ tasses) de maïs surgelé

1 ou 2 longs piments verts, épépinés et hachés finement

1,75 litre (7 tasses) de bouillon de poulet

120 g (⅔ de tasse) de quinoa rouge, rincé et égoutté

500 g (1 lb) de crevettes moyennes, décortiquées et déveinées

250 ml (1 tasse) de lait

3 c. à soupe de ciboulette fraîche, hachée finement

Jus de lime (citron vert) ou de citron (facultatif)

Crème (facultatif)

Sel et poivre du moulin

Salades

Cette belle salade vivement colorée est idéale pour les repas communautaires, les buffets et les jours de fête !

Salade de patates douces aux canneberges

4 à 6 portions

1 kg (2 lb) de patates douces, pelées

Huile d'olive

500 ml (2 tasses) d'eau

180 g (1 tasse) de quinoa, rincé et égoutté

150 g (1 tasse) de canneberges (airelles) séchées

Le jus de 1 orange, filtré

2 concombres libanais, en dés

3 c. à soupe de menthe fraîche, hachée

Sel et poivre du moulin

VINAIGRETTE

1 c. à soupe de miel

1 c. à thé (à café) de moutarde de Dijon

2 c. à soupe d'huile d'olive

Préchauffer le four à 200 °C/400 °F/gaz 6. Tapisser une plaque de papier-parchemin.

Couper les patates douces en dés et disposer sur la plaque. Arroser légèrement d'huile d'olive, assaisonner au goût et bien mélanger. Cuire au four environ 20 minutes ou jusqu'à ce que les patates soient tendres mais encore un peu croquantes. Si elles deviennent trop molles, elles se transformeront en purée.

Dans une petite casserole, porter l'eau à ébullition avec le quinoa. Baisser le feu, couvrir et laisser mijoter pendant 10 minutes ou jusqu'à ce que l'eau soit complètement absorbée. Retirer du feu et laisser reposer à couvert de 10 à 15 minutes. Laisser refroidir complètement.

Entre-temps, faire tremper les canneberges dans le jus d'orange pendant 10 minutes. Égoutter et réserver le jus.

Dans un grand bol, mélanger le quinoa refroidi avec les patates, les canneberges, les concombres et la menthe.

Dans un bol, à l'aide d'un fouet, mélanger le jus d'orange réservé avec le miel, la moutarde et l'huile d'olive. Assaisonner au goût.

Verser la vinaigrette sur la salade et remuer délicatement.

Salade de concombre à la lime et à la noix de coco

375 ml (1 ½ tasse) d'eau

135 g (¾ de tasse) de quinoa,
   rincé et égoutté

4 concombres libanais, épépinés
   ou non, coupés en deux sur la
   longueur, puis en tranches

100 g (1 tasse) de noix de coco,
   fraîchement râpée

1 échalote, hachée finement

2 oignons verts, en tranches

2 longs piments rouges,
   épépinés et hachés

VINAIGRETTE

Le jus de 2 ou 3 limes
   (citrons verts)

3 c. à thé (à café) de sauce
   de poisson

1 c. à thé (à café) de sucre

1 c. à soupe d'huile d'olive

Dans une petite casserole, porter l'eau et le quinoa à ébullition. Couvrir, baisser le feu et laisser mijoter de 10 à 13 minutes ou jusqu'à ce que l'eau soit absorbée et que le quinoa soit tendre. Laisser refroidir complètement.

Dans un grand bol, mettre le quinoa, les concombres, la noix de coco, l'échalote, les oignons verts et les piments.

Dans un petit bol, mélanger tous les ingrédients de la vinaigrette. Verser sur la salade et mélanger avec soin.

Laisser reposer à température ambiante pendant 30 minutes avant de servir.

Cette salade qui comble parfaitement l'appétit est toujours appréciée au repas du midi ou à l'heure du goûter.

Salade de thon

4 à 6 portions

Dans une petite casserole, porter l'eau et le quinoa à ébullition. Baisser le feu, couvrir et laisser mijoter pendant 10 minutes ou jusqu'à ce que l'eau soit absorbée et que le quinoa soit tendre. Retirer du feu et laisser refroidir complètement.

Dans un bol, bien mélanger le quinoa avec les poivrons, les concombres, les oignons verts, le persil, les câpres, les olives et les haricots blancs. Ajouter le thon bien égoutté.

Dans un petit bol, à l'aide d'un fouet, mélanger tous les ingrédients de la vinaigrette. Assaisonner au goût. Verser sur la salade et remuer délicatement.

500 ml (2 tasses) d'eau

180 g (1 tasse) de quinoa, rincé et égoutté

1 poivron rouge, en morceaux

1 poivron vert, en morceaux

2 concombres libanais, en dés

6 oignons verts, en tranches

3 c. à soupe de persil, haché finement

2 ou 3 c. à soupe de câpres, égouttées

15 à 20 olives Kalamata, dénoyautées et coupées en deux

800 g (4 tasses) de haricots blancs en conserve, rincés et égouttés

400 g (14 oz) de thon en conserve (dans l'huile ou dans l'eau), égoutté

VINAIGRETTE

1 ½ c. à soupe de vinaigre de vin rouge

3 c. à soupe d'huile d'olive

Sel et poivre du moulin

Les pépins de grenade ont l'air de magnifiques joyaux dans cette salade bien colorée qui fera le bonheur de vos invités pendant le temps des fêtes.

Salade de grenade et d'abricots aux pignons et aux pistaches

6 portions

Dans une petite casserole, porter l'eau et le quinoa à ébullition. Baisser le feu, couvrir et laisser mijoter pendant 10 minutes ou jusqu'à ce que l'eau soit absorbée et que le quinoa soit tendre. Retirer du feu et laisser reposer à couvert pendant 10 minutes. Laisser refroidir complètement.

Entre-temps, dans une poêle antiadhésive sans matière grasse, faire colorer légèrement les pignons. Laisser refroidir dans un bol.

Couper la grenade en deux et, à l'aide d'une cuillère en bois, frapper sur chacune des moitiés pour libérer les pépins et le jus.

Ajouter le quinoa, les pignons, les abricots, les pistaches et l'oignon. Pour empêcher les pistaches de ramollir, on peut attendre au moment de servir pour les ajouter.

Incorporer la menthe, le persil, le jus de citron et l'huile d'olive. Assaisonner au goût, bien mélanger et réfrigérer pendant 30 minutes avant de servir.

375 ml (1 ½ tasse) d'eau

135 g (¾ de tasse) de quinoa, rincé et égoutté

90 g (¾ de tasse) de pignons

1 grosse grenade

150 g (1 tasse) d'abricots séchés, hachés

150 g (1 ¼ tasse) de pistaches non salées, écalées

1 petit oignon rouge, haché finement

45 g (½ tasse) de menthe fraîche, hachée

30 g (½ tasse) de persil plat frais, haché

Le jus de 1 citron

2 c. à soupe d'huile d'olive

Sel et poivre du moulin

Le quinoa blanc cuit plus rapidement que le noir et il est aussi plus tendre. Cette salade bien colorée accompagne à merveille les escalopes de veau en croûte d'herbes (recette page 131).

Salade bruschetta

 4 à 6 portions

625 ml (2 ½ tasses) d'eau

135 g (¾ de tasse) de quinoa noir,
 rincé et égoutté

90 g (½ tasse) de quinoa blanc,
 rincé et égoutté

240 g (1 ½ tasse) de tomates
 cerises ou de tomates raisins,
 coupées en deux

1 petit oignon rouge,
 haché finement

60 g (1 tasse) de basilic frais,
 bien tassé

2 c. à soupe de vinaigre
 balsamique

1 c. à soupe de vinaigre
 de vin rouge

1 petite gousse d'ail,
 hachée très finement

4 ou 5 c. à soupe d'huile d'olive

Sel et poivre du moulin

Dans une casserole moyenne, porter l'eau, le quinoa noir et le quinoa blanc à ébullition. Baisser le feu, couvrir et laisser mijoter de 12 à 15 minutes ou jusqu'à ce que la cuisson du quinoa soit terminée et que l'eau soit complètement absorbée. (Ajouter un peu d'eau au besoin.)

Éteindre le feu et laisser reposer à couvert jusqu'à ce que le quinoa soit complètement refroidi.

Dans un grand bol, mélanger le quinoa avec les tomates et l'oignon.

Hacher finement le basilic et mélanger avec la salade. Dans un autre bol, à l'aide d'un fouet, mélanger les vinaigres, l'ail et l'huile d'olive. Assaisonner au goût. Verser sur la salade et bien mélanger.

Si possible, préparer la salade au moins 2 heures avant le repas afin que les différents parfums aient le temps de bien s'amalgamer les uns aux autres.

Vous pouvez mélanger la salade avec la sauce, mais il est préférable de servir celle-ci à part afin que chacun puisse en mettre à sa guise.

Salade de carottes à la sauce au yogourt

6 à 8 portions

750 ml (3 tasses) d'eau

270 g (1 ½ tasse) de quinoa,
   rincé et égoutté

120 g (1 tasse) d'amandes mondées

225 g (1 ½ tasse) de raisins secs

3 grosses carottes, râpées

1 oignon rouge, haché finement

4 oignons verts, en tranches

2 longs piments rouges,
   épépinés et hachés

45 g (¾ de tasse) de persil plat frais,
   haché finement

70 g (¾ de tasse) de menthe fraîche,
   hachée finement

SAUCE

6 gousses de cardamome

250 g (1 tasse) de yogourt nature
   grec

2 c. à thé (à café) de miel

60 ml (¼ de tasse) d'huile d'olive

Le jus de ½ citron

2 c. à soupe de vinaigre
   de vin rouge

2 c. à thé (à café) de poudre de cari

½ c. à thé (à café) de cumin moulu

Sel et poivre du moulin

Dans une casserole moyenne, porter l'eau et le quinoa à ébullition. Baisser le feu, couvrir et laisser mijoter pendant 10 minutes ou jusqu'à ce que l'eau soit absorbée et que le quinoa soit tendre. Retirer du feu et laisser reposer à couvert pendant 10 minutes. Laisser refroidir complètement.

Dans une petite poêle antiadhésive sans matière grasse, faire griller les amandes jusqu'à ce qu'elles soient dorées (surveiller de près, car elles peuvent brûler très facilement). Laisser refroidir dans un bol.

Dans un grand bol, mélanger le quinoa avec les trois quarts des amandes et des raisins secs. Ajouter les carottes, l'oignon rouge, les oignons verts, les piments, le persil et la menthe.

Sauce : dans un mortier, à l'aide d'un pilon, ouvrir les gousses de cardamome et réduire les graines en fine poudre. Mélanger avec les autres ingrédients de la sauce et transvider dans un petit bol.

Dresser la salade dans un grand bol et garnir avec le reste des amandes et des raisins secs. Servir la sauce à part.

Cette salade est idéale pour offrir un repas raffiné à vos invités. Le saumon fumé peut remplacer la truite à merveille. Les jours où vous êtes pressé, n'hésitez pas à utiliser du saumon rouge en conserve de bonne qualité.

Salade de truite fumée au fenouil

4 à 6 portions

500 ml (2 tasses) d'eau

180 g (1 tasse) de quinoa,
  rincé et égoutté

2 petits bulbes de fenouil

2 concombres libanais

240 g (1 ½ tasse) de tomates
  cerises ou de tomates raisins
  entières

4 à 6 oignons verts, en tranches

10 g (½ tasse) d'aneth, haché
  finement (et un peu plus
  pour garnir)

400 g (7 oz) de truite fumée,
  effeuillée

SAUCE

90 g (1 ½ tasse) de tomates
  séchées

1 c. à thé (à café) de raifort
  en pot

1 petite gousse d'ail,
  hachée très finement

1 à 2 c. à soupe de vinaigre
  de vin blanc

4 c. à soupe d'huile d'olive

Sel et poivre blanc

Dans une petite casserole, porter l'eau et le quinoa à ébullition. Baisser le feu, couvrir et laisser mijoter pendant 10 minutes ou jusqu'à ce que l'eau soit complètement absorbée. Retirer du feu et laisser reposer à couvert pendant 10 minutes.

Jeter les feuilles extérieures fanées des bulbes de fenouil. Couper les bulbes en deux, puis en tranches très fines.

Couper les concombres en quatre sur la longueur, puis en dés. Dans un bol, mélanger le fenouil, les concombres, les tomates, les oignons verts et l'aneth. Ajouter le quinoa refroidi et remuer délicatement.

Sauce : au mélangeur ou au robot culinaire, réduire tous les ingrédients en sauce lisse, puis assaisonner au goût.

Verser les trois quarts de la sauce sur la salade et remuer à l'aide d'une fourchette. Servir dans une grande assiette.

Disposer joliment les morceaux de truite dans la salade et sur celle-ci. Verser le reste de la sauce et garnir avec un peu d'aneth haché avant de servir.

Procurez-vous des poivrons rôtis entiers et coupez-les vous-même en tranches au lieu d'acheter des poivrons tranchés. Ces derniers ont tendance à trop ramollir la salade, car ils sont plus difficiles à égoutter.

Salade de poivrons grillés aux pignons et au basilic

4 à 6 portions

Dans une petite casserole, porter l'eau et le quinoa à ébullition. Baisser le feu, couvrir et laisser mijoter pendant 10 minutes ou jusqu'à ce que l'eau soit absorbée et que le quinoa soit tendre. Retirer du feu et laisser reposer à couvert pendant 10 minutes. Laisser refroidir complètement.

Dans une poêle antiadhésive sans matière grasse, faire colorer légèrement les pignons. (Surveiller de près, car ils peuvent brûler très facilement.) Laisser refroidir dans une assiette.

Dans un grand bol, mélanger le quinoa et les trois quarts des pignons, puis ajouter les poivrons, l'échalote et le basilic. Dans un bol, à l'aide d'un fouet, mélanger l'huile d'olive, le vinaigre et l'ail, puis assaisonner au goût.

Verser la vinaigrette sur la salade et bien mélanger. Servir dans une grande assiette et garnir avec le reste des pignons.

500 ml (2 tasses) d'eau

180 g (1 tasse) de quinoa, rincé et égoutté

120 g (1 tasse) de pignons

240 g (1 ½ tasse) de poivrons rouges grillés en pot, égouttés et coupés en tranches

1 échalote, hachée

60 g (1 tasse) de basilic frais, haché

2 ou 3 c. à soupe d'huile d'olive

1 ou 2 c. à soupe de vinaigre de framboise ou de vinaigre de vin rouge

1 gousse d'ail, hachée très finement

Sel et poivre du moulin

Cette salade est encore meilleure si on la laisse reposer au froid pendant une trentaine de minutes avant le repas.

Salade de poivrons à l'ail et aux olives

4 à 6 portions

Dans une petite casserole, porter l'eau et le quinoa à ébullition. Baisser le feu, couvrir et laisser mijoter pendant 10 minutes ou jusqu'à ce que l'eau soit absorbée et que le quinoa soit tendre. Retirer du feu et laisser reposer à couvert de 10 à 15 minutes. Laisser refroidir complètement.

Évider et épépiner les poivrons. Couper en julienne et réserver dans un bol profond.

Dans un autre bol, mélanger le vinaigre, la cassonade et les flocons de piment. Réserver.

Dans une petite poêle, chauffer l'huile d'olive et faire revenir l'ail pendant 1 minute ou jusqu'à légère coloration.

Retirer du feu et verser le vinaigre en prenant garde aux éclaboussures.

Remettre sur le feu environ 30 secondes, verser sur les poivrons et bien remuer. Couvrir le bol de pellicule de plastique et laisser refroidir.

Ajouter le quinoa, les oignons verts et les olives, puis assaisonner au goût. Rectifier l'assaisonnement et ajouter un peu de vinaigre au besoin. Bien remuer et, si possible, réfrigérer pendant 30 minutes avant de servir.

500 ml (2 tasses) d'eau

180 g (1 tasse) de quinoa, rincé et égoutté

1 gros poivron jaune

1 gros poivron rouge

1 gros poivron vert

2 c. à soupe de vinaigre de malt

1 c. à thé (à café) de cassonade ou de sucre roux

½ à 1 c. à thé (à café) de flocons de piment

80 ml (⅓ de tasse) d'huile d'olive

3 ou 4 gousses d'ail, en tranches

4 oignons verts, en tranches fines

120 g (1 tasse) d'olives Kalamata, dénoyautées

Sel et poivre du moulin

Cette salade est extrêmement facile à préparer, mais sa présentation est pourtant très raffinée. Elle fait toujours bonne impression lors des fêtes et des occasions spéciales.

Salade de figues, de prosciutto et de bocconcinis

 6 portions

750 ml (3 tasses) d'eau

270 g (1 ½ tasse) de quinoa,
   rincé et égoutté

25 g (½ tasse) de ciboulette fraîche,
   hachée finement

45 g (½ tasse) de menthe fraîche,
   hachée finement (et un peu plus
   pour garnir)

150 g (5 oz) de prosciutto,
   en tranches fines

200 g (7 oz) de bocconcinis

8 figues fraîches

VINAIGRETTE

1 c. à soupe de moutarde
   de Dijon

1 c. à soupe de miel

2 c. à soupe de vinaigre
   de vin rouge ou blanc

80 ml (⅓ de tasse) d'huile d'olive

Sel et poivre du moulin

Dans une petite casserole, porter l'eau et le quinoa à ébullition. Baisser le feu, couvrir et laisser mijoter pendant 10 minutes ou jusqu'à ce que l'eau soit absorbée et que le quinoa soit tendre. Éteindre le feu et laisser reposer à couvert environ 10 minutes. Laisser refroidir complètement.

Dans un grand bol, à l'aide d'une fourchette, mélanger le quinoa, la ciboulette et la menthe.

Dans un petit bol, à l'aide d'un fouet, mélanger la moutarde, le miel, le vinaigre et l'huile d'olive. Assaisonner au goût. Verser les deux tiers de la vinaigrette sur le quinoa et bien mélanger. Réserver le reste de la vinaigrette.

Au moment de servir, dresser la salade dans une grande assiette. Couvrir de tranches de prosciutto.

Couper les bocconcinis en deux et les figues en quartiers sur la longueur, puis les disposer entre les tranches de prosciutto.

Garnir de menthe hachée, arroser avec le reste de la vinaigrette et poivrer au goût.

Vous trouverez dans le commerce un mélange de quinoa blanc, rouge et noir appelé « trio de quinoa ». Si vous avez du mal à vous en procurer, mélangez 60 g (⅓ de tasse) de chacun ou utilisez la variété de quinoa que vous avez sous la main.

Salade de germes de haricot à la mangue et aux noix de cajou

4 à 6 portions

Dans une petite casserole, porter l'eau, le quinoa et l'écorce de lime à ébullition. Baisser le feu, couvrir et laisser mijoter de 12 à 15 minutes ou jusqu'à ce que l'eau soit absorbée et que le quinoa soit tendre. Retirer du feu et laisser reposer à couvert environ 10 minutes. Laisser refroidir complètement. Retirer et jeter l'écorce de lime.

Entre-temps, dans une poêle antiadhésive sans matière grasse, faire griller les noix jusqu'à légère coloration (surveiller de près, car elles peuvent brûler très facilement). Ajouter le miel et cuire jusqu'à ce qu'il fonde et enrobe les noix (attention aux éclaboussures, car le miel sera très chaud). Laisser refroidir dans une assiette.

Dans un bol, mélanger le quinoa, les oignons verts, les germes de haricot, les piments et la coriandre (réserver du piment et de la coriandre pour garnir).

Dans un autre bol, mélanger tous les ingrédients de la vinaigrette. Verser sur la salade et bien remuer. Rectifier l'assaisonnement au besoin et, au moment de servir, ajouter les mangues et les noix. Dresser la salade dans une grande assiette et garnir de coriandre et de tranches de piment.

Si l'on prépare ce plat à l'avance, il est préférable d'ajouter les mangues au moment de servir afin que la salade ne soit pas détrempée.

560 ml (2 ¼ tasses) d'eau

180 g (1 tasse) de trio de quinoa, rincé et égoutté

1 gros morceau d'écorce de lime (citron vert)

180 g (1 ½ tasse) de noix de cajou crues

1 ½ c. à soupe de miel

4 oignons verts, en tranches

400 g (2 tasses) de germes de haricot

2 ou 3 longs piments rouges, épépinés et coupés en tranches

10 g (½ tasse) de feuilles de coriandre, hachées

1 ou 2 grosses mangues, pelées et coupées en dés

VINAIGRETTE

Le zeste râpé de 1 lime (citron vert)

1 gousse d'ail, hachée

1 ou 2 c. à soupe de tamari

¼ de c. à thé (à café) d'huile de sésame

Le jus de 2 limes (citrons verts)

1 c. à soupe d'huile d'olive

Sel et poivre du moulin

Cette salade se conserve au réfrigérateur pendant quelques jours et son goût s'améliore avec le temps. Elle est très utile lorsqu'on est pressé et qu'on souhaite tout de même manger un plat nourrissant.

Salade de pois chiches à la coriandre

 4 à 6 portions

500 ml (2 tasses) d'eau

180 g (1 tasse) de quinoa,
   rincé et égoutté

1 poivron jaune

1 poivron rouge

1 poivron vert

800 g (4 tasses) de pois chiches
   en conserve, rincés et égouttés

1 oignon rouge, haché finement

1 ou 2 piments frais, épépinés
   ou non, hachés

10 g (½ tasse) de feuilles
   de coriandre, hachées

VINAIGRETTE

4 c. à soupe de jus de lime
   (citron vert)

1 c. à soupe de vinaigre
   de vin rouge

4 c. à soupe d'huile d'olive

Sel et poivre du moulin

Dans une petite casserole, porter l'eau et le quinoa à ébullition. Baisser le feu, couvrir et laisser mijoter pendant 10 minutes ou jusqu'à ce que l'eau soit absorbée et que le quinoa soit tendre. Retirer du feu et laisser reposer à couvert pendant 10 minutes. Laisser refroidir complètement.

Évider et épépiner les poivrons, puis les couper en petits dés. Dans un grand bol, mélanger le quinoa refroidi, les poivrons, les pois chiches, l'oignon, les piments et la coriandre.

Dans un petit bol, à l'aide d'un fouet, mélanger les ingrédients de la vinaigrette, puis assaisonner au goût. Verser sur la salade et bien remuer.

Salade de fenouil
et de cresson à l'orange

6 portions

Dans une petite casserole, porter l'eau et le quinoa à ébullition. Baisser
le feu, couvrir et laisser mijoter de 10 à 13 minutes ou jusqu'à ce que l'eau
soit absorbée et que le quinoa soit tendre. Retirer du feu et laisser reposer
à couvert pendant 10 minutes. Laisser refroidir complètement.

Jeter les feuilles extérieures fanées des bulbes de fenouil. Couper les bulbes
en deux, puis retirer et jeter le centre coriace. Couper les bulbes en tranches
très fines et réserver les feuilles pour la garniture.

Dans un grand bol, mettre le quinoa, le fenouil, les oranges et le cresson.
Mélanger délicatement avec les mains.

Dans un petit bol, à l'aide d'un fouet, mélanger tous les ingrédients
de la vinaigrette. Verser sur la salade et remuer doucement.

Dresser la salade dans une grande assiette et garnir de feuilles de fenouil
au goût.

375 ml (1 ½ tasse) d'eau

135 g (¾ de tasse) de quinoa rouge,
   rincé et égoutté

2 petits bulbes de fenouil

1 ou 2 oranges, pelées et défaites
   en segments

1 petite botte de cresson

VINAIGRETTE

Le jus de 1 orange

2 c. à soupe de raifort en pot

1 c. à soupe de moutarde
   de Meaux

1 c. à soupe de miel

2 c. à soupe d'huile d'olive

Salade de poulet aux canneberges et aux pistaches

500 ml (2 tasses) de bouillon
  de poulet ou d'eau

180 g (1 tasse) de quinoa,
  rincé et égoutté

2 poitrines (blancs) de poulet
  sans peau

Huile d'olive

Paprika doux

150 g (1 tasse) de canneberges
  (airelles) séchées

90 g (¾ de tasse) de pistaches
  rôties, écalées

3 c. à soupe de persil frais, haché

3 c. à soupe de ciboulette fraîche,
  hachée

Sel et poivre du moulin

VINAIGRETTE

3 c. à soupe de jus d'orange

2 c. à soupe de jus de citron

1 c. à thé (à café) de moutarde
  anglaise

3 c. à soupe d'huile d'olive

Dans une petite casserole, porter le bouillon et le quinoa à ébullition. Baisser le feu, couvrir et laisser mijoter pendant 10 minutes ou jusqu'à ce que le bouillon soit absorbé et que le quinoa soit tendre. Retirer du feu et laisser reposer à couvert pendant 10 minutes. Laisser refroidir complètement.

Préchauffer le four à 180 °C/350 °F/gaz 4.

Badigeonner le poulet d'huile d'olive de chaque côté. Saupoudrer de paprika et assaisonner au goût. Cuire au four, dans un plat à rôtir, de 15 à 20 minutes ou jusqu'à ce que la volaille soit parfaitement cuite. Retirer du four, couvrir de papier d'aluminium et laisser reposer.

Dans un grand bol, mettre le quinoa refroidi, les canneberges, les pistaches, le persil et la ciboulette.

Couper le poulet en fines lanières, puis l'ajouter à la salade.

Dans un petit bol, à l'aide d'un fouet, mélanger tous les ingrédients de la vinaigrette. Remuer et dresser dans une grande assiette.

Cette salade abondante peut servir plusieurs personnes. Le quinoa noir lui confère une texture fort agréable, car il est plus croquant que le quinoa blanc ou rouge.

Salade de chou

4 à 8 portions

500 ml (2 tasses) d'eau

180 g (1 tasse) de quinoa noir,
   rincé et égoutté

¼ de petit chou pommé blanc,
   paré et râpé finement

¼ de petit chou rouge,
   paré et râpé finement

2 carottes, râpées grossièrement

1 oignon rouge, coupé en deux,
   puis en tranches fines

2 branches de céleri,
   en tranches fines

125 g (½ tasse) de mayonnaise

2 c. à soupe de vinaigre
   de vin rouge

2 c. à soupe d'huile d'olive

Sel et poivre du moulin

Dans une petite casserole, porter l'eau et le quinoa à ébullition. Baisser le feu, couvrir et laisser mijoter de 10 à 14 minutes ou jusqu'à ce que l'eau soit absorbée et que le quinoa soit tendre. Retirer du feu et laisser refroidir complètement.

Dans un grand bol, mélanger le quinoa, les choux, les carottes, l'oignon et le céleri. Bien mélanger (de préférence avec les mains).

Ajouter le reste des ingrédients et mélanger de nouveau. Assaisonner au goût.

Couvrir et réfrigérer pendant plusieurs heures avant de servir.

Salade d'ananas et de noix de coco à la menthe

Dans une petite casserole, porter l'eau et le quinoa à ébullition. Baisser le feu, couvrir et laisser mijoter environ 15 minutes ou jusqu'à ce que l'eau soit absorbée. Retirer du feu et laisser reposer à couvert de 10 à 15 minutes. Laisser refroidir complètement.

Peler et évider l'ananas frais, puis le couper en petits morceaux.

Dans un bol, mettre le quinoa, l'ananas, la noix de coco, les oignons verts, la menthe et les piments.

Vinaigrette : dans un petit bol, à l'aide d'un fouet, mélanger le jus de lime et le sucre jusqu'à ce que ce dernier soit dissous. Ajouter l'huile d'olive et saler au goût. Verser sur la salade et bien mélanger.

Si possible, couvrir et réfrigérer environ 30 minutes avant de servir afin que les différents parfums aient le temps de bien s'amalgamer les uns aux autres.

375 ml (1 ½ tasse) d'eau

120 g (⅔ de tasse) de quinoa noir

1 ananas moyen ou 800 g (3 tasses) d'ananas en dés en conserve, avec le jus

100 g (1 tasse) de noix de coco râpée

3 oignons verts, hachés finement

45 g (½ tasse) de feuilles de menthe, hachées grossièrement

2 longs piments rouges, en tranches

VINAIGRETTE

Le jus de 1 lime (citron vert)

1 ou 2 c. à thé (à café) de sucre (si l'on utilise un ananas frais)

2 c. à soupe d'huile d'olive

Sel

Cette salade rafraîchissante permet de faire un superbe repas estival, mais on peut aussi en profiter à n'importe quel moment de l'année. Si vous préférez un plat végétarien, omettez le prosciutto.

Papayes farcies aux tomates et au prosciutto

4 portions

500 ml (2 tasses) d'eau

120 g (⅔ de tasse) de quinoa blanc,
   rincé et égoutté

120 g (⅔ de tasse) de quinoa noir,
   rincé et égoutté

2 concombres libanais,
   en petits morceaux

2 tomates, en petits morceaux

3 c. à soupe de menthe fraîche,
   hachée

3 c. à soupe de ciboulette fraîche,
   hachée

6 à 8 tranches de prosciutto,
   en tranches fines

2 papayes, coupées en deux
   et épépinées

Quartiers de lime (citron vert)

VINAIGRETTE

2 c. à soupe d'huile d'olive

Le jus et le zeste râpé de ½ lime

Sel et poivre du moulin

Dans une petite casserole, porter l'eau, le quinoa blanc et le quinoa noir à ébullition. Baisser le feu, couvrir et laisser mijoter de 12 à 15 minutes ou jusqu'à ce que l'eau soit absorbée. Retirer du feu et laisser reposer à couvert de 10 à 15 minutes. Laisser refroidir complètement.

Dans un bol, mélanger le quinoa refroidi, les concombres, les tomates, la menthe et la ciboulette.

Dans un petit bol, à l'aide d'un fouet, mélanger tous les ingrédients de la vinaigrette. Verser sur la salade et remuer délicatement. Ajouter le prosciutto et mélanger de nouveau.

Couper une très fine tranche sous les moitiés de papaye afin qu'elles tiennent bien en place dans l'assiette. Farcir de salade et servir aussitôt avec des quartiers de lime.

Le quinoa grillé se marie parfaitement avec les salades vite faites tout en leur ajoutant du corps, de la texture et du croquant. Conservez la vinaigrette dans un bocal hermétique que vous garderez au réfrigérateur. Vous pouvez remplacer les ingrédients de la salade par d'autres légumes de saison.

Salade d'avocat avec quinoa grillé et vinaigrette balsamique

4 portions

Vinaigrette : dans un bol, à l'aide d'un fouet, mélanger le vinaigre, la moutarde, le miel, l'ail et le sel jusqu'à dissolution de ce dernier.

Verser l'huile d'olive peu à peu en fouettant sans cesse. Poivrer au goût et rectifier l'assaisonnement au besoin.

Dans un grand bol, mélanger tous les ingrédients de la salade. Ajouter quelques cuillerées à soupe de vinaigrette et bien mélanger.

Dresser la salade dans une grande assiette et saupoudrer de quinoa grillé. Servir le reste de la vinaigrette à part.

2 avocats, pelés et coupés en dés

2 petits concombres libanais, en tranches

1 oignon rouge, en tranches fines

Mesclun

240 g (1 ½ tasse) de tomates cerises ou de tomates raisins

180 g (1 tasse) de quinoa grillé (recette page 37) (et un peu plus pour garnir)

VINAIGRETTE

60 ml (¼ de tasse) de vinaigre balsamique

2 c. à thé (à café) de moutarde de Dijon

2 c. à soupe de miel

1 gousse d'ail, hachée très finement

Sel

180 ml (¾ de tasse) d'huile d'olive

Poivre du moulin

Plats végétariens

Ce bon plat végétarien se réchauffe facilement. Il est préférable d'utiliser les piments comme garniture plutôt que de les mélanger avec les autres ingrédients afin que chaque convive puisse en mettre à son goût. On peut aussi les omettre si on le sert à des enfants.

Lentilles et épinards aux pignons grillés

6 portions

120 g (1 tasse) de pignons

1 c. à soupe d'huile d'olive

6 oignons verts, hachés finement

2 ou 3 gousses d'ail,
    hachées finement

800 g (4 tasses) de lentilles
    brunes en conserve, rincées et
    égouttées

360 g (2 tasses) de quinoa,
    rincé et égoutté

1 litre (4 tasses) de bouillon
    de légumes, chaud

250 g (8 oz) de petits épinards
    frais

Jus de citron

Yogourt nature grec

Piments rouges (facultatif)

Sel et poivre du moulin

Dans une poêle antiadhésive sans matière grasse, faire colorer légèrement les pignons. Laisser refroidir dans un bol.

Dans une grande casserole, chauffer l'huile d'olive et faire sauter les oignons verts jusqu'à ce qu'ils soient tendres. Ajouter l'ail et faire revenir de 1 à 2 minutes.

Ajouter les lentilles et le quinoa. Remuer et verser le bouillon. Assaisonner légèrement en n'oubliant pas que le bouillon est déjà salé.

Porter à ébullition, baisser le feu, couvrir et laisser mijoter pendant 20 minutes ou jusqu'à ce que le liquide soit presque complètement absorbé.

Ajouter les épinards, couvrir et laisser mijoter à feu doux pendant 5 minutes.

À l'aide d'une fourchette, incorporer les pignons, couvrir et retirer du feu. Laisser reposer environ 10 minutes avant de servir avec un trait généreux de jus de citron et un peu de yogourt.

Garnir de tranches de piment au goût.

Cette choucroute chaude accompagne magnifiquement la viande, le poulet ou le poisson.
On peut aussi la servir comme plat principal. Une fois refroidie, elle fait une excellente salade.

Choucroute

4 à 8 portions

2 c. à soupe d'huile d'olive

1 gros oignon, coupé en deux,
   puis en tranches fines

480 g (3 tasses) de chou rouge,
   râpé finement

480 g (3 tasses) de chou vert,
   râpé finement

135 g (¾ de tasse) de quinoa noir,
   rincé et égoutté

500 ml (2 tasses) de bouillon
   de légumes, chaud

60 ml (¼ de tasse) de vinaigre
   de vin rouge

2 ou 3 c. à soupe de persil plat
   frais, haché finement

Sel et poivre du moulin

Dans une casserole à fond épais, chauffer l'huile d'olive et faire sauter l'oignon jusqu'à ce qu'il soit tendre. Ajouter les choux, assaisonner au goût et bien mélanger.

Cuire à feu moyen environ 5 minutes ou jusqu'à ce que les choux soient ramollis.

Ajouter le quinoa et bien mélanger. Verser le bouillon et le vinaigre.

Porter à ébullition, baisser le feu, couvrir et laisser mijoter de 25 à 30 minutes ou jusqu'à ce que la cuisson du quinoa et des choux soit terminée. Ajouter un peu d'eau en cours de cuisson si la préparation est trop sèche ou si le quinoa n'est pas complètement cuit.

Incorporer le persil et ajouter un peu de vinaigre au besoin (ou laisser les convives se servir eux-mêmes).

Cette recette peut être servie en plat principal ou servir d'accompagnement. On peut aussi faire la cuisson au four préchauffé à 190 °C/375 °F/gaz 5. Rangez les champignons enrobés de quinoa sur une plaque graissée, arrosez-les légèrement d'huile d'olive et faites-les cuire de 15 à 20 minutes ou jusqu'à ce qu'ils soient dorés. Ils seront un peu plus secs que s'ils avaient été cuits à la poêle, mais ils seront tout aussi savoureux.

Champignons à l'ail, au thym et au citron

4 portions

Essuyer délicatement les champignons et retirer les pieds.

Dans un bol, mélanger les flocons de quinoa, le thym, le zeste de citron et l'ail. Assaisonner au goût.

Étaler la farine dans une assiette, puis battre légèrement les œufs dans un bol. Fariner légèrement les champignons, les tremper dans les œufs battus, puis les enrober complètement de flocons de quinoa.

Dans une poêle, à feu moyen, verser de l'huile d'olive jusqu'à mi-hauteur des champignons. Cuire à feu moyen-vif environ 2 minutes de chaque côté.

Égoutter sur du papier absorbant et servir sur un lit de roquette avec un trait généreux de jus de citron.

8 gros champignons à chapeau large (ex.: portobellos)

150 g (1 ½ tasse) de flocons de quinoa

1 ou 2 c. à soupe de thym frais, haché finement

Le zeste râpé de 1 citron

2 gousses d'ail, hachées très finement

75 g (½ tasse) de farine de quinoa

3 gros œufs

Huile d'olive (pour la friture)

Feuilles de roquette

Jus de citron

Sel et poivre du moulin

Courgettes, tomates et haricots noirs au basilic

4 à 6 portions

Dans une grande poêle, chauffer l'huile d'olive et faire revenir les tomates de 3 à 4 minutes ou jusqu'à ce que la peau se fendille. Réserver dans un bol.

Dans la même poêle, faire sauter l'oignon jusqu'à ce qu'il soit tendre et les courgettes jusqu'à ce qu'elles soient légèrement dorées.

Ajouter l'ail et le quinoa, puis assaisonner au goût. Verser le bouillon chaud et porter à ébullition. Baisser le feu, couvrir et laisser mijoter pendant 15 minutes ou jusqu'à ce que le liquide soit complètement absorbé et que la cuisson du quinoa soit terminée.

Ajouter les épinards et cuire jusqu'à ce qu'ils soient ramollis. Ajouter les haricots noirs, les tomates et le basilic. Retirer du feu et laisser reposer environ 5 minutes avant de servir.

Ajouter quelques gouttes de vinaigre balsamique au goût.

3 c. à soupe d'huile d'olive

240 g (1 ½ tasse) de tomates cerises ou de tomates raisins

1 gros oignon rouge, haché

3 courgettes moyennes, en tranches

3 gousses d'ail, hachées

270 g (1 ½ tasse) de quinoa, rincé et égoutté

625 ml (2 ½ tasses) de bouillon de légumes ou d'eau, chaud

200 g (7 oz) de petits épinards frais

800 g (4 tasses) de haricots noirs en conserve, rincés et égouttés

Quelques feuilles de basilic, ciselées

Vinaigre balsamique (facultatif)

Sel et poivre du moulin

Champignons farcis aux poivrons grillés et à la mozzarella

4 portions

375 ml (1 ½ tasse) d'eau

135 g (¾ de tasse) de quinoa,
   rincé et égoutté

12 gros champignons

1 c. à soupe d'huile d'olive

4 oignons verts, hachés finement

2 gousses d'ail, hachées finement

2 c. à soupe de persil plat frais,
   haché finement

320 g (2 tasses) de poivrons rouges
   grillés, hachés

200 g (1 ⅔ tasse) de mozzarella,
   en petits morceaux

1 c. à soupe de parmesan, râpé
   (et un peu plus pour garnir)

Sel et poivre du moulin

VINAIGRETTE

3 c. à soupe d'huile d'olive

2 c. à soupe de vinaigre
   balsamique

Sel et poivre du moulin

Dans une petite casserole, porter l'eau et le quinoa à ébullition. Baisser le feu, couvrir et laisser mijoter pendant 10 minutes ou jusqu'à ce que l'eau soit absorbée et que le quinoa soit tendre. Laisser refroidir un peu.

Essuyer délicatement les champignons et retirer les pieds.

Réserver 8 champignons et hacher finement les autres, y compris les pieds qui ne sont pas trop filandreux.

Préchauffer le four à 190 °C/375 °F/gaz 5. Tapisser une grande plaque de papier-parchemin.

Dans une poêle, chauffer l'huile d'olive et faire sauter les oignons verts jusqu'à légère coloration. Ajouter les champignons hachés et cuire de 3 à 4 minutes. Ajouter l'ail et le persil, puis poursuivre la cuisson pendant 1 minute. Retirer du feu et laisser refroidir un peu.

Mélanger la préparation de champignons avec le quinoa refroidi, les poivrons, la mozzarella et le parmesan. Assaisonner au goût.

Ranger les chapeaux de champignons sur la plaque et farcir avec la préparation de quinoa en la tassant bien.

Arroser d'huile d'olive et saupoudrer légèrement de parmesan. Cuire au four environ 15 minutes ou jusqu'à ce que le fromage soit fondu.

Vinaigrette : mélanger l'huile d'olive et le vinaigre, puis assaisonner au goût. Verser sur les champignons avant de servir.

Si vous souhaitez préparer un plat végétalien, utilisez du yogourt ou de la crème sans produits laitiers. Cette recette fait une excellente garniture pour les tacos et les burritos. Un vrai régal avec du guacamole et de la salsa aux tomates !

Haricots rouges épicés

4 portions

2 c. à soupe d'huile d'olive

1 gros oignon rouge, haché

3 gousses d'ail, hachées

2 c. à thé (à café) de paprika
doux

2 c. à thé (à café) d'origan séché

1 ½ c. à soupe de cumin moulu

½ à 1 c. à thé (à café) de flocons
de piment

400 g (2 tasses) de tomates en dés
en conserve

270 g (1 ½ tasse) de quinoa,
rincé et égoutté

625 ml (2 ½ tasses) d'eau
bouillante

1 pincée de sel

800 g (4 tasses) de haricots rouges
en conserve, rincés et égouttés

10 g (½ tasse) de feuilles
de coriandre, hachées

Jus de lime (citron vert)

Yogourt nature grec, crème sure
ou crème aigre

Dans une grande poêle, à feu moyen-vif, chauffer l'huile d'olive et faire sauter l'oignon jusqu'à ce qu'il soit tendre et doré. Ajouter l'ail et cuire environ 30 secondes. Assaisonner de paprika, d'origan, de cumin et de flocons de piment.

Ajouter les tomates, couvrir et laisser mijoter à feu doux environ 5 minutes.

Ajouter le quinoa, l'eau bouillante et le sel, puis porter à ébullition. Baisser le feu, couvrir et laisser mijoter pendant 15 minutes.

Ajouter les haricots rouges et cuire de 5 à 10 minutes ou jusqu'à ce que la cuisson du quinoa soit terminée.

Incorporer la coriandre et servir avec un trait de jus de lime et un peu de yogourt.

Ce plat végétarien à la fois savoureux et nutritif plaît autant aux enfants qu'aux adultes.

Aubergine aux lentilles et au chou vert frisé

4 à 6 portions

Dans une grande poêle, chauffer l'huile d'olive et cuire les cubes d'aubergine jusqu'à ce qu'ils soient dorés. Réserver dans un bol.

Dans la même poêle, ajouter un peu d'huile au besoin et faire revenir l'oignon jusqu'à ce qu'il soit tendre.

Ajouter l'ail, le gingembre, le cumin, la coriandre et les flocons de piment. Faire revenir pendant environ 30 secondes.

Ajouter le chou et cuire de 1 à 2 minutes ou jusqu'à ce qu'il soit tendre.

Ajouter le quinoa, les lentilles et l'eau chaude. Saler au goût et porter à ébullition. Baisser le feu, couvrir et laisser mijoter environ 15 minutes. Ajouter l'aubergine et cuire pendant 5 minutes.

Servir avec du jus de citron ou du vinaigre balsamique au goût.

4 c. à soupe d'huile d'olive

750 g (7 tasses) d'aubergine, en cubes

1 gros oignon, haché finement

3 gousses d'ail, hachées finement

1 c. à soupe de gingembre frais, râpé

1 ½ c. à thé (à café) de cumin moulu

1 ½ c. à thé (à café) de coriandre moulue

1 c. à thé (à café) de flocons de piment

320 g (2 tasses) de chou vert frisé, en lanières très fines (jeter les tiges coriaces)

180 g (1 tasse) de quinoa, rincé et égoutté

800 g (4 tasses) de lentilles en conserve, non égouttées

310 ml (1 ¼ tasse) d'eau chaude

Sel

Jus de citron ou vinaigre balsamique

La beauté de ces courges farcies suscitera de nombreux éloges ! Si vous n'êtes pas végétarien, vous avez le loisir d'ajouter du bacon ou du chorizo haché avec l'oignon et le poireau. Vous pouvez aussi prendre une grosse courge au lieu de six petites, mais vous devrez la faire cuire plus longtemps. Retirez tout le liquide avant d'ajouter la garniture.

Courges farcies au maïs et aux poivrons

6 portions

Dans une petite casserole, porter l'eau et le quinoa à ébullition. Baisser le feu, couvrir et laisser mijoter de 10 à 12 minutes ou jusqu'à ce que l'eau soit complètement absorbée. Retirer du feu et laisser reposer à couvert.

Préchauffer le four à 160 °C/325 °F/gaz 3.

Couper le dessus des courges et réserver les « chapeaux ». Épépiner et enlever les parties fibreuses, puis remettre les « chapeaux » en place.

Ranger les courges sur une plaque et cuire au four de 20 à 30 minutes ou jusqu'à ce que l'intérieur soit tendre et que l'extérieur soit encore ferme. Laisser refroidir à température ambiante.

Entre-temps, dans une grande poêle, chauffer l'huile d'olive avec le beurre et faire revenir l'oignon et le poireau jusqu'à ce qu'ils soient tendres.

Ajouter les poivrons, le maïs et les flocons de piment. Cuire de 3 à 5 minutes ou jusqu'à ce que les poivrons soient tendres et que le maïs soit décongelé.

Incorporer la farine de quinoa et cuire, en remuant sans cesse, de 1 à 2 minutes pour faire disparaître le goût de farine crue en prenant soin que la préparation ne colle pas au fond.

Verser le lait et remuer jusqu'à ce que la préparation commence à bouillonner et à épaissir.

Incorporer le fromage et le quinoa réservé, puis assaisonner au goût. Retirer du feu dès que le fromage est fondu.

Farcir les courges avec la garniture, remettre les « chapeaux » en place et cuire au four de 20 à 25 minutes ou jusqu'à ce que les courges soient complètement tendres lorsqu'on les pique à l'aide d'une fourchette.

330 ml (1 ⅓ tasse) d'eau

120 g (⅔ de tasse) de quinoa rouge, rincé et égoutté

6 petites citrouilles Golden Nugget ou petits potirons de 500 g (1 lb) chacun

GARNITURE

2 c. à soupe d'huile d'olive

1 c. à thé (à café) de beurre

1 gros oignon rouge, haché

1 poireau, en tranches fines

½ poivron vert, épépiné et coupé en dés

½ poivron rouge, épépiné et coupé en dés

200 g (1 tasse) de maïs surgelé

Flocons de piment

2 c. à soupe de farine de quinoa

430 ml (1 ¾ tasse) de lait

120 g (1 tasse) de fromage doux, râpé

Sel et poivre du moulin

Cette tarte est meilleure le jour même de sa préparation à cause de la farine de quinoa dont le goût sera plus prononcé le lendemain. La pâte préparée uniquement avec cette farine est plus foncée qu'une pâte à base de blé. Si vous devez réchauffer la tarte, mettez-la au four plutôt qu'au micro-ondes.

Tarte aux épinards et au fromage de chèvre

4 à 6 portions

PÂTE

300 g (2 tasses) de farine
    de quinoa

1 c. à thé (à café) de sel

120 g (½ tasse) de beurre très froid,
    en morceaux

2 gros jaunes d'œufs

Eau glacée

1 blanc d'œuf, battu légèrement

GARNITURE

1 à 2 c. à soupe d'huile d'olive

4 oignons verts, hachés

480 g (3 tasses) d'épinards,
    décongelés

1 grosse gousse d'ail,
    hachée finement

125 g (¾ de tasse) de fromage
    de chèvre ou de féta

2 gros œufs

250 ml (1 tasse) de crème

180 ml (¾ de tasse) de lait

Sel et poivre du moulin

À l'aide du robot culinaire, mélanger la farine avec le sel pendant quelques secondes pour bien l'aérer. Ajouter le beurre, un morceau à la fois, et mélanger jusqu'à l'obtention de miettes grossières.

Ajouter les jaunes d'œufs et mélanger quelques secondes. Pendant que l'appareil est toujours en marche, verser de l'eau glacée peu à peu jusqu'à l'obtention d'une boule de pâte qui se tient bien.

Saupoudrer le plan de travail de farine de quinoa et abaisser la pâte en forme de cercle. Envelopper dans de la pellicule de plastique et réfrigérer pendant environ 1 heure.

Préchauffer le four à 180 °C/350 °F/gaz 4. Graisser légèrement un moule à tarte cannelé à fond amovible de 25 cm (10 po).

Sur un plan de travail fariné, abaisser la pâte de la même largeur que le moule. La rouler autour du rouleau à pâtisserie, puis l'étaler dans le moule.

Couper et retirer l'excédent de pâte, puis couvrir le fond de papier-parchemin et de haricots secs.

Placer le moule sur une plaque et cuire au four pendant 15 minutes. Retirer du four, puis jeter le papier et les haricots. Badigeonner la croûte avec un peu de blanc d'œuf battu et remettre au four pendant 5 minutes.

Entre-temps, dans une poêle moyenne, à feu moyen-vif, chauffer l'huile d'olive et faire sauter les oignons verts jusqu'à légère coloration. Essorer les épinards avec soin et les mettre dans la poêle. Cuire environ 3 minutes, puis ajouter l'ail. Faire revenir de 1 à 2 minutes et retirer du feu.

Suite page 100

Étaler les épinards sur la croûte et saupoudrer uniformément de fromage.

Dans un bol, à l'aide d'un fouet, battre les œufs avec la crème et le lait. Assaisonner au goût en n'oubliant pas que le fromage est déjà salé.

Verser la préparation d'œufs sur les épinards et cuire au four de 30 à 35 minutes ou jusqu'à ce que la garniture soit prise.

Retirer du four et laisser reposer environ 10 minutes avant de servir.

Pilaf de pois chiches aux épinards

Dans une casserole, porter le bouillon et le quinoa à ébullition. Baisser le feu, couvrir et laisser mijoter pendant 10 minutes ou jusqu'à ce que le bouillon soit complètement absorbé. Laisser reposer à couvert.

Entre-temps, dans une grande poêle, chauffer l'huile d'olive et faire sauter l'oignon jusqu'à ce qu'il soit tendre et doré. Ajouter l'ail et le piment et cuire environ 30 secondes.

Incorporer le cari et le garam masala et cuire quelques secondes.

Ajouter les pois chiches et l'eau. Couvrir et laisser mijoter environ 5 minutes. Ajouter les épinards et cuire jusqu'à ce qu'ils soient tendres. (Si l'on utilise des épinards décongelés, il faut les cuire environ 10 minutes et ajouter un peu d'eau au besoin.)

Ajouter le quinoa réservé et le jus de citron. Assaisonner au goût et bien mélanger. Servir avec du yogourt au goût.

750 ml (3 tasses) de bouillon de légumes ou de poulet

270 g (1 ½ tasse) de quinoa, rincé et égoutté

2 c. à soupe d'huile d'olive

1 gros oignon, coupé en deux, puis en tranches

2 gousses d'ail, hachées finement

1 piment rouge, épépiné et haché

1 ½ à 2 c. à thé (à café) de poudre de cari

1 c. à thé (à café) de garam masala

800 g (4 tasses) de pois chiches, égouttés

125 ml (½ tasse) d'eau

200 g (7 oz) d'épinards frais ou 240 g (1 ½ tasse) d'épinards décongelés

Le jus de ½ gros citron

Yogourt nature grec

Sel et poivre du moulin

Ce plat végétarien nutritif peut être servi comme plat principal ou encore en accompagnement avec du poisson, du poulet ou de la viande.

Pilaf au safran et à la cardamome

4 à 6 portions

Dans un mortier, à l'aide d'un pilon, ouvrir les gousses de cardamome. Moudre les graines en fine poudre et réserver. Les gousses de cardamome peuvent être remplacées par ½ à 1 c. à thé (à café) de cardamome moulue.

Dans une grande poêle, chauffer l'huile d'olive et le beurre clarifié. Ajouter les graines de moutarde et cuire jusqu'à ce qu'elles commencent à éclater. Ajouter l'oignon et cuire jusqu'à ce qu'il soit tendre.

Ajouter le gingembre et l'ail et cuire environ 30 secondes.

Incorporer la cardamome réservée, le cumin et la cannelle.

Mélanger le safran avec l'eau chaude et laisser infuser quelques secondes avant de le mettre dans la poêle en même temps que le quinoa.

Bien mélanger et assaisonner au goût. Porter à ébullition, couvrir et laisser mijoter à feu doux de 15 à 20 minutes ou jusqu'à ce que l'eau soit absorbée.

Éteindre le feu et laisser reposer environ 5 minutes. Incorporer les piments, la coriandre et le jus de lime à l'aide d'une fourchette.

Servir avec des quartiers de lime.

6 à 8 gousses de cardamome

1 c. à soupe d'huile d'olive

1 c. à soupe de beurre clarifié (ghee)

2 c. à thé (à café) de graines de moutarde

1 gros oignon, coupé en deux, puis en tranches fines

1 c. à soupe de gingembre frais, râpé

3 gousses d'ail, hachées finement

1 c. à thé (à café) de cumin moulu

½ c. à thé (à café) de cannelle moulue

½ c. à thé (à café) de filaments de safran

1 litre (4 tasses) d'eau chaude

360 g (2 tasses) de quinoa, rincé et égoutté

2 longs piments rouges, épépinés et hachés

15 g (¾ de tasse) de feuilles de coriandre, hachées

Le jus de 1 ou 2 limes (citrons verts)

Quartiers de lime

Sel et poivre du moulin

Choisissez des tomates mûres et bien fermes. Coupez une tranche mince comme du papier dans la partie inférieure afin qu'elles tiennent bien en place dans le plat de cuisson.

Tomates farcies

4 à 6 portions

12 grosses tomates

1 c. à soupe de beurre clarifié
(ghee)

1 oignon jaune moyen, haché

4 oignons verts, hachés

2 gousses d'ail, hachées finement

2 c. à thé (à café) de poudre
de cari

1 c. à thé (à café) de curcuma
moulu

1 c. à thé (à café) de cumin
moulu

120 g (¾ de tasse) de raisins secs

225 g (1 ¼ tasse) de quinoa, rincé
et égoutté

500 ml (2 tasses) d'eau chaude

3 c. à soupe de coriandre fraîche,
hachée

Huile d'olive

Sel et poivre du moulin

Couper une tranche sur le dessus des tomates et réserver. À l'aide d'une petite cuillère, retirer la pulpe en prenant soin de ne pas percer la pelure. Égoutter la pulpe, épépiner, hacher et réserver.

Laisser égoutter les tomates à l'envers sur du papier absorbant.

Dans une grande poêle, chauffer le beurre clarifié et faire sauter l'oignon jaune et les oignons verts jusqu'à ce qu'ils soient tendres et légèrement colorés. Ajouter l'ail et cuire environ 30 secondes. Assaisonner avec le cari, le curcuma et le cumin. Cuire pendant 1 minute.

Ajouter les raisins secs, le quinoa et l'eau chaude, puis saler et poivrer généreusement.

Porter à ébullition, baisser le feu, couvrir et laisser mijoter environ 15 minutes ou jusqu'à ce que l'eau soit complètement absorbée. Laisser refroidir quelques minutes, puis ajouter la coriandre. Préchauffer le four à 180 °C/350 °F/gaz 4.

Farcir les tomates avec la préparation de quinoa, couvrir avec les « chapeaux » et ranger dans un plat de cuisson. Éparpiller le reste de la pulpe autour des tomates et arroser le tout d'huile d'olive.

Cuire au four de 20 à 25 minutes ou jusqu'à ce que les tomates soient parfaitement cuites. (Il est normal qu'elles se fendillent un peu en cours de cuisson.)

Portez des gants pour éviter de tacher vos mains en manipulant la racine de curcuma.

Poireaux à la moutarde et au curcuma frais

 2 à 4 portions

2 poireaux

2 c. à soupe d'huile d'olive

2 grosses gousses d'ail, hachées

2 piments rouges, épépinés
   et hachés

2 c. à soupe de moutarde
   de Dijon

2 à 3 c. à thé (à café) de curcuma
   frais, râpé ou 1 c. à thé (à café)
   de curcuma moulu

270 g (1 ½ tasse) de quinoa,
   rincé et égoutté

810 ml (3 ¼ tasses) d'eau

Sel

Le jus de ½ à 1 citron

Couper les poireaux en deux sur la longueur et jeter les couches extérieures les plus coriaces. Laver avec soin en éliminant le sable dissimulé entre les couches.

Couper les poireaux en tranches fines en gardant le plus de vert possible.

Dans une grande casserole, chauffer l'huile d'olive et faire sauter les poireaux jusqu'à ce qu'ils soient tendres et dorés.

Ajouter l'ail et les piments et cuire environ 1 minute. Ajouter la moutarde et le curcuma et bien mélanger.

Ajouter le quinoa et l'eau, et saler au goût. Porter à ébullition, baisser le feu, couvrir et laisser mijoter pendant 15 minutes ou jusqu'à ce que le liquide soit absorbé.

Retirer du feu, couvrir et laisser reposer de 10 à 15 minutes. Arroser de jus de citron et détacher les grains à l'aide d'une fourchette.

Servir tel quel ou en plat d'accompagnement avec du poisson, du poulet ou de la viande.

Prenez la liberté d'ajouter petits pois, courgettes, épinards ou morceaux de courge rôtie à la recette. Si vous aimez l'agneau, faites cuire quelques côtelettes avec la sauce avant d'ajouter le quinoa.

Quinoa aux tomates et à la cannelle cuit au four

2 à 4 portions

Préchauffer le four à 180 °C/350 °F/gaz 4.

Dans une petite poêle, chauffer l'huile d'olive et faire sauter l'oignon et l'ail jusqu'à ce qu'ils soient tendres et dorés. Transvider dans un plat de cuisson profond d'environ 20 cm (8 po) de diamètre.

Ajouter les tomates, la cannelle et l'eau. Assaisonner au goût. Cuire au four environ 25 minutes ou jusqu'à ce que la sauce soit épaisse et bouillonnante.

Ajouter le quinoa et l'eau bouillante. Rectifier l'assaisonnement au besoin. Couvrir hermétiquement avec un couvercle ou du papier d'aluminium et remettre au four. Cuire pendant 30 minutes en remuant une ou deux fois en cours de cuisson.

Retirer du four dès que le liquide est absorbé et laisser reposer à couvert pendant 5 minutes. Incorporer 50 g (½ tasse) de parmesan et servir aussitôt. Saupoudrer de parmesan additionnel au goût.

2 c. à soupe d'huile d'olive

1 oignon moyen, râpé grossièrement

2 gousses d'ail, hachées très finement

400 g (2 tasses) de tomates en dés en conserve, non égouttées

1 c. à thé (à café) comble de cannelle moulue

250 ml (1 tasse) d'eau

270 g (1 ½ tasse) de quinoa, rincé et égoutté

560 ml (2 ¼ tasses) d'eau bouillante

50 g (½ tasse) de parmesan, râpé (et un peu plus pour servir)

Sel et poivre du moulin

On fait du risotto avec du riz et du quinotto avec du quinoa. La seule différence est qu'on ajoute le bouillon d'un seul coup et qu'il n'est pas obligatoire de le remuer sans cesse. De plus, il n'est pas nécessaire de servir le quinotto immédiatement contrairement au risotto.

Quinotto crémeux aux poireaux et aux asperges

4 à 6 portions

2 c. à soupe d'huile d'olive

1 c. à soupe + 1 c. à thé (à café)
   de beurre

1 oignon, haché

2 poireaux, en tranches fines
   (le blanc et une partie du vert)

3 gousses d'ail, hachées
   très finement

180 g (1 tasse) de quinoa blanc,
   rincé et égoutté

180 g (1 tasse) de quinoa rouge,
   rincé et égoutté

1,12 litre (4 ½ tasses) de bouillon
   de légumes, chaud

3 bottes d'asperges, parées
   et coupées en tranches

2 ou 3 c. à soupe de crème

50 g (½ tasse) de parmesan, râpé

Sel et poivre du moulin

Dans une grande casserole, chauffer l'huile d'olive avec 1 c. à soupe de beurre. Faire revenir l'oignon et les poireaux jusqu'à ce qu'ils soient tendres.

Ajouter l'ail et cuire environ 1 minute. Ajouter le quinoa blanc, le quinoa rouge et le bouillon. Assaisonner au goût en n'oubliant pas que le parmesan et le bouillon du commerce sont déjà salés.

Bien mélanger et porter à ébullition. Baisser le feu, couvrir et laisser mijoter environ 10 minutes. Incorporer les asperges, sauf les pointes qu'on doit ajouter en fin de cuisson seulement. Remuer une ou deux fois en cours de cuisson.

Laisser mijoter pendant 10 minutes, puis ajouter les pointes d'asperges et la crème. Cuire de 5 à 8 minutes ou jusqu'à ce que le quinoa soit presque aussi crémeux qu'un gruau.

Incorporer le parmesan et 1 c. à thé (à café) de beurre. Couvrir et laisser reposer pendant 10 minutes avant de servir.

Macaroni au fromage

750 ml (3 tasses) d'eau

270 g (1 ½ tasse) de quinoa,
   rincé et égoutté

250 g (1 tasse) de ricotta,
   émiettée

240 g (1 ½ tasse) de petits pois,
   décongelés

60 g (½ tasse) de cheddar doux
   ou fort, râpé

Paprika doux

Sel et poivre du moulin

SAUCE AU FROMAGE

120 g (½ tasse) de beurre

1 c. à soupe de moutarde
   anglaise douce

75 g (½ tasse) de farine
   de quinoa

1,2 litre (5 tasses) de lait

120 g (1 tasse) de cheddar doux
   ou fort, râpé

50 g (½ tasse) de parmesan, râpé

Sel et poivre du moulin

Préchauffer le four à 200 °C/400 °F/gaz 6.

Dans une casserole, porter l'eau et le quinoa à ébullition. Baisser le feu, couvrir et laisser mijoter pendant 10 minutes ou jusqu'à ce que l'eau soit complètement absorbée. Laisser refroidir.

Dans un grand bol, mettre le quinoa, la ricotta et les petits pois. Assaisonner au goût.

Sauce : dans une casserole, chauffer le beurre et ajouter la moutarde. Incorporer la farine de quinoa et cuire quelques secondes jusqu'à l'obtention d'un roux (le beurre et la farine doivent être parfaitement amalgamés).

Verser le lait peu à peu en mélangeant sans cesse à l'aide d'un fouet jusqu'à ce que la sauce épaississe et commence à bouillonner. Incorporer le cheddar et le parmesan et rectifier l'assaisonnement au besoin. Cuire jusqu'à ce que le fromage soit fondu.

Verser la sauce sur le quinoa et remuer délicatement. Transvider dans un plat de cuisson, puis saupoudrer de cheddar râpé et de paprika. Cuire le macaroni au four de 30 à 40 minutes ou jusqu'à ce que le dessus soit doré.

Voici une autre belle recette de risotto à base de quinoa. On peut remplacer la courge Butternut par de la citrouille ou du potiron.

Quinotto à la courge et aux épinards

4 à 6 portions

Préchauffer le four à 200 °C/400 °F/gaz 6. Tapisser une grande plaque de papier-parchemin. Mettre les cubes de courge sur la plaque et badigeonner légèrement d'huile d'olive. Assaisonner au goût et réserver.

Cuire au four de 20 à 30 minutes ou jusqu'à ce que la courge soit tendre et légèrement noircie.

Dans une grande casserole, chauffer 1 c. à soupe d'huile d'olive avec 1 c. à soupe de beurre et faire sauter l'oignon jusqu'à ce qu'il soit tendre. Ajouter l'ail et la muscade et cuire environ 30 secondes.

Ajouter le quinoa et le bouillon, puis assaisonner au goût en n'oubliant pas que le parmesan et le bouillon du commerce sont déjà salés.

Bien mélanger et porter à ébullition. Baisser le feu, couvrir et laisser mijoter de 15 à 20 minutes ou jusqu'à ce que le bouillon soit presque complètement absorbé en remuant une ou deux fois en cours de cuisson.

Ajouter les épinards, mélanger et cuire pendant 2 minutes. Ajouter le reste du beurre, le parmesan et la courge réservée.

Retirer du feu et laisser reposer de 5 à 10 minutes ou jusqu'à ce que le quinoa soit tendre et crémeux.

1 courge Butternut de 1 kg (2 lb), pelée et coupée en cubes

Huile d'olive

2 c. à soupe de beurre

1 gros oignon, haché finement

3 gousses d'ail, hachées très finement

¼ de c. à thé (à café) de muscade moulue

360 g (2 tasses) de quinoa, rincé et égoutté

1,12 litre (4 ½ tasses) de bouillon de légumes, chaud

200 g (7 oz) de petits épinards

50 g (½ tasse) de parmesan, râpé

Sel et poivre du moulin

Cette recette se prépare en un clin d'œil. Servez-la comme plat principal ou accompagnement. Vous pouvez remplacer le maïs frais par du maïs surgelé sans qu'il soit nécessaire de le faire décongeler. Si vous utilisez du maïs en conserve, mélangez-le avec le quinoa à la toute fin.

Quinoa au maïs et aux piments

4 portions

750 ml (3 tasses) d'eau

270 g (1 ½ tasse) de trio de quinoa
  (mélange de trois variétés),
  rincé et égoutté

2 ou 3 c. à soupe d'huile d'olive

1 gros oignon rouge, haché

1 ou 2 piments rouges,
  en tranches

3 gousses d'ail, hachées

800 g (4 tasses) de maïs

1 c. à thé (à café) de piment
  de la Jamaïque moulu

45 à 70 g (½ à ¾ tasse)
  de menthe fraîche, hachée

10 à 15 g (½ à ¾ tasse) de feuilles
  de coriandre, hachées

Le jus de 2 limes (citrons verts)

Yogourt nature grec, crème sure
  ou crème aigre

Assaisonnement au chili

Sel

Dans une petite casserole, porter l'eau et le quinoa à ébullition. Baisser le feu, couvrir et laisser mijoter de 12 à 15 minutes ou jusqu'à ce que l'eau soit absorbée. Retirer du feu et laisser reposer à couvert.

Dans une grande poêle, chauffer l'huile d'olive et faire sauter l'oignon jusqu'à ce qu'il soit tendre et doré. Ajouter les piments, l'ail, le maïs et le piment de la Jamaïque. Cuire jusqu'à ce que le maïs soit tendre en remuant de temps à autre.

Incorporer la menthe, la coriandre et le jus de lime, puis saler au goût.

Ajouter le quinoa et bien mélanger.

Servir avec un peu de yogourt et saupoudrer d'assaisonnement au chili au goût.

Le chou vert frisé regorge d'antioxydants et de nutriments qui combattent l'inflammation. L'ajout de quinoa permet de composer un plat très nutritif qui plaira beaucoup aux végétariens et aux végétaliens.

Ragoût de chou, de carottes, de champignons et de tomates

4 à 6 portions

Dans une grande casserole, chauffer l'huile d'olive et faire sauter l'oignon jusqu'à ce qu'il soit tendre et doré. Ajouter l'ail, la pâte de tomates et les carottes. Cuire de 2 à 3 minutes en remuant deux ou trois fois pour faire caraméliser les carottes.

Ajouter les champignons, les tomates et l'eau chaude. Couvrir et laisser mijoter pendant 5 minutes.

Ajouter le quinoa et assaisonner au goût. Porter à ébullition, baisser le feu, couvrir et cuire environ 20 minutes en remuant de temps à autre.

Ajouter un peu de chou à la fois et remuer après chaque addition pour le faire ramollir. Couvrir et laisser mijoter à feu doux pendant 10 minutes ou jusqu'à ce qu'il soit tendre.

Retirer du feu et incorporer le vinaigre. Laisser reposer à couvert de 5 à 10 minutes avant de servir. Ajouter un peu de vinaigre au besoin.

2 c. à soupe d'huile d'olive

1 gros oignon, haché

3 gousses d'ail, hachées

1 c. à soupe de pâte ou de concentré
de tomates

4 carottes, en tranches

300 g (1 ½ tasse) de champignons,
en tranches

400 g (2 tasses) de tomates en dés
en conserve, non égouttées

680 ml (2 ¾ tasses) d'eau chaude

180 g (1 tasse) de quinoa,
rincé et égoutté

1 grosse botte de chou vert frisé,
en lanières très fines
(jeter les tiges coriaces)

1 ou 2 c. à soupe de vinaigre
de vin rouge

Sel et poivre du moulin

Ce gâteau aux légumes se prépare aussi facilement qu'une quiche. On le déguste chaud ou froid, de préférence avec une salade légère. Il est toujours bon d'en avoir au réfrigérateur pour les jours où l'on n'a pas le temps de cuisiner.

Gâteau aux légumes

6 portions

750 g (7 tasses) d'aubergines,
   en cubes

360 g (3 tasses) de courgettes,
   en cubes

300 g (1 ½ tasse) de champignons,
   en tranches

2 oignons rouges, coupés en deux,
   puis en tranches

5 ou 6 gousses d'ail non épluchées

Huile d'olive

500 ml (2 tasses) d'eau

180 g (1 tasse) de quinoa,
   rincé et égoutté

160 g (1 tasse) de poivrons rouges,
   grillés et coupés en lanières

90 g (1 ½ tasse) de tomates
   séchées, en lanières

90 g (¾ de tasse) d'olives
   Kalamata, dénoyautées

2 c. à thé (à café) d'origan séché

30 g (½ tasse) de persil plat frais,
   haché (et un peu plus pour
   garnir)

6 gros œufs, battus légèrement

Zeste de citron, râpé

Sel et poivre du moulin

Préchauffer le four à 200 °C/400 °F/gaz 6. Graisser un moule à charnière rond de 25 cm (10 po) avec de l'huile d'olive et tapisser le fond de papier-parchemin.

Mettre les aubergines, les courgettes, les champignons, les oignons et l'ail sur deux plaques. Poivrer au goût et arroser généreusement d'huile d'olive. Remuer et cuire au four de 20 à 25 minutes.

Entre-temps, dans une casserole moyenne, porter l'eau et le quinoa à ébullition. Baisser le feu, couvrir et laisser mijoter pendant 10 minutes ou jusqu'à ce que l'eau soit complètement absorbée. Retirer du feu et laisser reposer.

Réserver les légumes grillés dans une assiette. Presser les gousses d'ail pour faire sortir la purée et jeter la pelure.

Dans un bol, mélanger les légumes grillés, le quinoa, les poivrons, les tomates, les olives, l'origan et 30 g (½ tasse) de persil. Assaisonner au goût, puis incorporer les œufs.

Verser la préparation dans le moule et lisser le dessus. Placer le moule sur une plaque et cuire au four de 30 à 35 minutes ou jusqu'à ce que la garniture soit prise et que le dessus soit doré.

Laisser reposer de 10 à 15 minutes. Garnir de zeste de citron et de persil.

Viande

Chorizo et oignons caramélisés au paprika fumé

750 ml (3 tasses) d'eau

270 g (1 ½ tasse) de quinoa,
rincé et égoutté

4 saucisses chorizo,
en tranches fines

1 c. à soupe d'huile d'olive

2 gros oignons, coupés en deux,
puis en tranches

2 gousses d'ail, hachées

½ à 1 c. à thé (à café) de flocons
de piment

2 c. à thé (à café) de paprika
fumé

240 g (1 ½ tasse) de petits pois
surgelés

60 ml (¼ de tasse) d'eau

2 c. à soupe de persil frais, haché

Sel et poivre du moulin

Dans une casserole moyenne, porter l'eau et le quinoa à ébullition. Baisser le feu, couvrir et laisser mijoter pendant 10 minutes ou jusqu'à ce que l'eau soit complètement absorbée. Retirer du feu.

Dans une grande poêle sans matière grasse, faire sauter le chorizo jusqu'à ce qu'il soit légèrement doré. Réserver dans un bol.

Dans la même poêle, ajouter un peu d'huile au besoin et faire revenir les oignons pendant 5 minutes ou jusqu'à ce qu'ils soient tendres et caramélisés. Ajouter l'ail et cuire environ 30 secondes. Incorporer les flocons de piment et le paprika.

Ajouter les petits pois et l'eau. Cuire de 4 à 5 minutes en remuant souvent jusqu'à ce que les pois soient décongelés et cuits.

Ajouter le quinoa et le chorizo réservés. Assaisonner au goût et cuire de 3 à 4 minutes. Garnir de persil et servir aussitôt.

Vous pouvez préparer plusieurs étapes de la recette à l'avance (jusqu'au moment de battre les blancs d'œufs). N'oubliez pas de réchauffer la préparation de jambon et de fromage, sinon les soufflés ne gonfleront pas. Couvrez-la de pellicule de plastique jusqu'au moment de la réchauffer pour empêcher la formation d'une pellicule en surface.

Soufflés au fromage, au jambon et à la moutarde

4 portions

Dans une poêle, chauffer 1 c. à soupe de beurre et cuire les oignons verts et le jambon jusqu'à ce que les oignons soient tendres et que la viande soit légèrement dorée. Retirer du feu et réserver.

Mettre la grille au centre du four. Préchauffer le four à 190 °C/375 °F/gaz 5. Beurrer quatre ramequins de 250 ml (1 tasse) et saupoudrer de parmesan.

Dans une casserole, faire fondre le reste du beurre. Ajouter la farine de quinoa et faire un roux en remuant sans cesse pendant environ 30 secondes.

Verser le lait peu à peu et continuer de remuer jusqu'à épaississement. Retirer du feu et ajouter les jaunes d'œufs un à un. Bien mélanger et ajouter la moutarde et le cheddar. Remettre sur le feu et remuer jusqu'à ce que le fromage soit fondu. Poivrer au goût et incorporer le jambon et les oignons verts. Ajouter du sel au besoin.

Dans un bol, à l'aide d'un fouet, battre les blancs d'œufs avec une pincée de sel jusqu'à l'obtention de pics mous. À l'aide d'une cuillère métallique, incorporer une grosse cuillerée de blancs d'œufs dans la préparation de jambon. Plier ensuite le reste des blancs d'œufs.

Répartir la préparation dans les ramequins et passer un doigt tout autour pour former un sillon (cela permettra aux soufflés de gonfler plus facilement).

Ranger les ramequins sur une plaque et cuire au centre du four pendant 20 minutes ou jusqu'à ce que les soufflés soient pris et bien gonflés (ne pas ouvrir la porte pendant la cuisson !). Servir aussitôt.

3 ½ c. à soupe de beurre

6 oignons verts, hachés

200 g (7 oz) de jambon fumé, haché

Beurre et parmesan râpé (pour les ramequins)

3 c. à soupe de farine de quinoa

310 ml (1 ¼ tasse) de lait, chaud

4 gros jaunes d'œufs

2 c. à soupe de moutarde de Dijon

90 g (¾ de tasse) de cheddar fort, râpé

5 gros blancs d'œufs

Sel et poivre du moulin

Porc barbecue et quinoa à l'ail et au gingembre

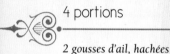
4 portions

2 gousses d'ail, hachées
 très finement

1 c. à soupe de gingembre frais,
 râpé

¼ de c. à thé (à café) de cinq-épices
 moulu

2 ou 3 c. à soupe de tamari

2 c. à soupe d'huile végétale

1 c. à soupe de miel

2 filets de porc
 (environ 1 kg/2 lb au total)

QUINOA À L'AIL ET AU
GINGEMBRE

270 g (1 ½ tasse) de quinoa,
 rincé et égoutté

750 ml (3 tasses) d'eau

1 tige de citronnelle, écrasée

2 anis étoilés

1 grosse gousse d'ail, broyée
 légèrement

3 ou 4 tranches de gingembre frais

2 c. à soupe de tamari

2 piments rouges entiers

2 piments verts entiers

Feuilles de coriandre, hachées

Jus de lime (citron vert)

Dans un bol, mélanger l'ail, le gingembre, le cinq-épices, le tamari, l'huile végétale et le miel. Verser sur la viande et laisser mariner au réfrigérateur pendant 1 à 2 heures.

Préchauffer le four à 180 °C/350 °F/gaz 4. Mettre les filets de porc dans un plat à rôtir et cuire au four de 20 à 25 minutes ou au goût. Sortir le plat du four, couvrir la viande de papier d'aluminium et laisser reposer de 5 à 10 minutes.

Entre-temps, dans une casserole moyenne, mélanger le quinoa, l'eau, la citronnelle, l'anis, l'ail, le gingembre, le tamari et les piments.

Porter à ébullition, baisser le feu, couvrir et laisser mijoter de 10 à 12 minutes ou jusqu'à ce que le liquide soit complètement absorbé. Retirer du feu, couvrir et laisser reposer de 10 à 15 minutes.

Incorporer la coriandre et servir dans une grande assiette. Arroser généreusement de jus de lime et disposer les filets de porc au centre.

Si vous avez une intolérance au blé ou au gluten, assurez-vous que les saucisses ne renferment pas de céréales ni de chapelure.

Saucisses épicées et poivrons au fenouil

4 à 6 portions

Dans une casserole moyenne, porter l'eau et le quinoa à ébullition. Baisser le feu, couvrir et laisser mijoter pendant 10 minutes ou jusqu'à ce que l'eau soit complètement absorbée. Retirer du feu, couvrir et réserver.

Débarrasser les saucisses de leur enveloppe. Rouler la chair en petites boulettes et réfrigérer.

Couper les bulbes de fenouil en deux, puis en tranches épaisses. Réserver les feuilles pour la garniture.

Dans une grande poêle, chauffer l'huile d'olive et cuire les boulettes de viande jusqu'à ce qu'elles soient dorées et parfaitement cuites. Réserver dans une assiette.

Dans la même poêle, faire sauter l'oignon jusqu'à ce qu'il soit tendre et doré (ajouter de l'huile au besoin).

Ajouter les tranches de fenouil, l'ail, les poivrons, les graines de fenouil et les flocons de piment. Cuire jusqu'à ce que les légumes soient légèrement colorés mais encore fermes.

Ajouter les boulettes de viande et assaisonner au goût. Ajouter le quinoa et le jus de citron. Bien mélanger et rectifier l'assaisonnement au besoin.

Réchauffer à feu doux pendant environ 5 minutes. Garnir de feuilles de fenouil et servir aussitôt.

750 ml (3 tasses) d'eau

270 g (1 ½ tasse) de quinoa, rincé et égoutté

1 kg (2 lb) de saucisses italiennes épicées

2 petits bulbes de fenouil

2 c. à soupe d'huile d'olive

1 gros oignon, coupé en deux, puis en tranches

3 gousses d'ail, en tranches

1 poivron rouge, en morceaux

1 poivron vert, en morceaux

1 c. à thé (à café) de graines de fenouil

½ à 1 c. à thé (à café) de flocons de piment

Le jus de ½ à 1 citron (facultatif)

Sel et poivre du moulin

La pâte de cette recette ne gonfle pas autant qu'une pâte au blé, mais elle est vraiment délicieuse. Si vous êtes intolérant au blé ou au gluten, assurez-vous que les saucisses ne renferment pas de céréales ni de chapelure. N'hésitez pas à utiliser des saucisses de porc.

Saucisses en pâte et sauce à l'oignon

4 portions

1 c. à soupe d'huile d'olive

8 grosses saucisses de bœuf

Brins de thym frais

PÂTE

4 gros œufs

500 ml (2 tasses) de lait entier

1 c. à thé (à café) de moutarde
   anglaise

Sel

150 g (1 tasse) de farine de quinoa

1 c. à thé (à café) de levure
   chimique (poudre à pâte)

1 c. à thé (à café) de bicarbonate
   de soude

SAUCE À L'OIGNON

1 c. à soupe de beurre

1 c. à soupe d'huile d'olive

2 gros oignons jaunes, coupés en
   deux puis en tranches très fines

2 ou 3 gousses d'ail, hachées

2 c. à soupe de farine de quinoa

500 à 560 ml (2 à 2 ¼ tasses) de
   bouillon de bœuf, chaud

1 trait généreux de tamari

1 c. à soupe de feuilles de thym frais

Sel et poivre du moulin

Pâte : à l'aide du batteur électrique (mixeur), battre les œufs avec le lait, la moutarde et un peu de sel. Ajouter la farine de quinoa, la levure chimique et le bicarbonate de soude. Mélanger jusqu'à consistance lisse et réserver. Préchauffer le four à 230 °C/450 °F/gaz 8.

Dans une poêle, chauffer l'huile d'olive et cuire les saucisses jusqu'à ce qu'elles soient dorées sur toutes les faces. Entre-temps, mettre un plat de cuisson métallique profond de 20 cm x 26 cm x 7 cm (8 po x 10 ½ po x 3 po) dans le four jusqu'à ce qu'il soit très chaud.

Mettre les saucisses et les jus de cuisson dans le plat chaud. Mélanger rapidement la pâte et la verser uniformément sur les saucisses. Parsemer de brins de thym.

Cuire au four de 30 à 35 minutes ou jusqu'à ce que la pâte soit dorée. Servir aussitôt avec la sauce à l'oignon.

Sauce à l'oignon : dans une casserole, chauffer le beurre avec l'huile et faire revenir les oignons jusqu'à ce qu'ils soient tendres et dorés. Ajouter l'ail et cuire 1 minute. Incorporer la farine de quinoa et mélanger jusqu'à l'obtention d'un roux. Cuire de 1 à 2 minutes.

Verser le bouillon peu à peu en remuant jusqu'à épaississement. Ajouter le tamari et le thym, puis assaisonner au goût. Cuire de 1 à 2 minutes ou jusqu'à ce que la sauce soit lisse et onctueuse.

Chili à la viande

Dans une grande poêle profonde, chauffer l'huile d'olive et faire sauter l'oignon jusqu'à ce qu'il soit tendre et doré. Ajouter la viande et cuire en la défaisant à l'aide d'une cuillère en bois.

Incorporer l'ail et cuire environ 30 secondes. Ajouter l'origan, le cumin, le paprika et l'assaisonnement au chili. Cuire environ 1 minute.

Ajouter la pâte de tomates, les tomates et l'eau froide, puis saler au goût. Baisser le feu, couvrir et laisser mijoter à feu doux environ 15 minutes.

Ajouter le quinoa et l'eau bouillante, couvrir et laisser mijoter environ 20 minutes en remuant de temps à autre.

Ajouter les haricots rouges et laisser mijoter à feu doux environ 5 minutes.

Laisser reposer pendant 10 minutes avant de servir avec un peu de parmesan, de coriandre et de crème. Garnir de tranches d'avocat au goût.

2 c. à soupe d'huile d'olive

1 gros oignon, haché finement

500 g (1 lb) de bœuf haché

3 gousses d'ail

2 c. à soupe d'origan séché

2 c. à soupe de cumin moulu

1 c. à soupe de paprika moulu

½ à 1 c. à thé (à café) d'assaisonnement au chili

2 c. à soupe de pâte ou de concentré de tomates

800 g (4 tasses) de tomates en dés en conserve, non égouttées

250 ml (1 tasse) d'eau froide

270 g (1 ½ tasse) de quinoa, rincé et égoutté

625 ml (2 ½ tasses) d'eau bouillante

800 g (4 tasses) de haricots rouges en conserve, rincés et égouttés

Parmesan, râpé

Coriandre fraîche

Crème aigre ou crème sure

Tranches d'avocat (facultatif)

Sel

Ces œufs sont meilleurs froids. N'oubliez pas d'en mettre quelques-uns dans le panier à pique-nique ou la boîte à lunch.

Œufs durs enrobés de viande et de quinoa

 8 portions

8 petits œufs

500 g (1 lb) de bœuf
    ou de porc haché

1 petit oignon, haché
    très finement

2 gousses d'ail, hachées très
    finement

2 c. à thé (à café) d'origan séché

1 c. à thé (à café) de sel de céleri

Huile d'olive

200 g (2 tasses) de flocons
    de quinoa

1 c. à soupe de paprika

3 c. à soupe de farine de quinoa

2 gros œufs, battus légèrement

Sel et poivre du moulin

Mettre les œufs dans une casserole d'eau et porter à ébullition. Cuire de 4 à 5 minutes, puis retirer du feu. Placer la casserole dans l'évier et laisser couler l'eau froide sur les œufs pendant 2 à 3 minutes. Laisser reposer les œufs dans l'eau jusqu'au moment de les écaler.

Préchauffer le four à 190 °C/375 °F/gaz 5. Tapisser une plaque de papier-parchemin.

Dans un bol, bien mélanger la viande avec l'oignon, l'ail, l'origan, le sel de céleri et 1 c. à soupe d'huile d'olive. Poivrer au goût.

Diviser la viande en huit portions de même grosseur. Aplatir chaque portion et placer un œuf écalé au centre. Emprisonner l'œuf en l'enrobant uniformément de viande. Préparer les autres œufs de la même façon.

Dans un bol, mélanger les flocons de quinoa et le paprika, puis assaisonner au goût.

Saupoudrer les boulettes de farine de quinoa, puis les enrober d'une couche épaisse d'œufs battus. Rouler dans les flocons de quinoa en faisant pénétrer ceux-ci dans la viande.

Ranger les œufs sur la plaque et arroser d'huile d'olive. Cuire au four de 25 à 30 minutes ou jusqu'à ce qu'ils soient dorés. Servir avec une sauce ou un condiment au choix.

Escalopes de veau en croûte d'herbes

4 portions

Aplatir légèrement les escalopes de veau à l'aide d'un attendrisseur à viande ou d'un rouleau à pâtisserie. Si elles sont trop grosses, les couper en deux avant de les paner.

Dans une assiette, mélanger les flocons de quinoa, la ciboulette, le persil et le paprika. Assaisonner au goût. Enrober légèrement les escalopes de farine de quinoa, puis les tremper dans les œufs battus avant de les enrober uniformément de flocons de quinoa.

Dans une grande poêle, chauffer le beurre avec un peu d'huile d'olive. (Le beurre donne du goût à l'huile, mais son usage est facultatif. Attention de ne pas le laisser brûler.)

Cuire les escalopes panées, en évitant de surcharger la poêle, de 2 à 3 minutes de chaque côté ou jusqu'à ce qu'elles soient dorées et croustillantes. Égoutter sur du papier absorbant.

Servir et arroser de jus de citron ou napper d'une sauce au choix (ex.: relish ou sauce chili douce). La salade bruschetta (recette page 62) accompagne magnifiquement ces escalopes.

4 minces escalopes de veau
(500 g/1 lb au total)
150 g (1 ½ tasse) de flocons
de quinoa
1 c. à soupe de ciboulette fraîche,
hachée finement
1 c. à soupe de persil frais,
haché finement
1 c. à thé (à café) de paprika doux
moulu
50 g (⅓ de tasse) de farine
de quinoa
2 gros œufs, battus légèrement
1 c. à soupe de beurre (facultatif)
Huile d'olive
Jus de citron (facultatif)
Sel et poivre du moulin

Plusieurs produits asiatiques comme la pâte de haricots noirs, la sauce aux huîtres et la sauce soja renferment des produits dérivés du blé. Soyez particulièrement vigilant si vous souffrez d'une intolérance au blé ou au gluten.

Bœuf et sauce aux haricots noirs

4 portions

750 ml (3 tasses) de bouillon
   de poulet, chaud

270 g (1 ½ tasse) de quinoa,
   rincé et égoutté

2 anis étoilés

750 g (1 ½ lb) de bifteck de croupe
   ou de filet, en fines lanières

1 c. à soupe de farine de quinoa

2 c. à soupe de sauce soja

Huile végétale

1 poivron rouge, en lanières

1 poivron vert, en lanières

6 oignons verts, en morceaux
   de 2,5 cm (1 po)

3 gousses d'ail, hachées finement

2 ou 3 c. à soupe de pâte
   de haricots noirs

1 c. à soupe de sauce aux huîtres

125 à 180 ml (½ à ¾ tasse) d'eau

Dans une petite casserole, porter le bouillon et le quinoa à ébullition avec l'anis. Baisser le feu, couvrir et laisser mijoter de 10 à 12 minutes ou jusqu'à ce que le bouillon soit complètement absorbé. Retirer du feu et réserver au chaud.

Entre-temps, dans un bol, mélanger la viande, la farine de quinoa et la sauce soja.

Dans un wok ou une grande poêle, à feu vif, chauffer 2 ou 3 c. à soupe d'huile végétale. Ajouter le bifteck et les jus accumulés dans le bol. Cuire, en remuant souvent, jusqu'à cuisson au goût. Réserver dans une assiette.

Ajouter un peu d'huile dans le wok et faire sauter les poivrons à feu vif de 2 à 3 minutes. Ajouter les oignons verts et l'ail et faire sauter de 1 à 2 minutes.

Ajouter la pâte de haricots noirs et la sauce aux huîtres. Remettre la viande et les jus de cuisson dans le wok et bien remuer. Verser l'eau et remuer sans cesse jusqu'à ce qu'elle commence à bouillir.

Laisser reposer environ 5 minutes avant de servir avec le quinoa réservé. Retirer et jeter l'anis étoilé.

Pour donner plus de goût au quinoa, mélangez-le avec les flocons de quinoa et un peu de l'huile d'olive restés dans la poêle après la cuisson de la viande.

Bœuf épicé, haricots rouges et quinoa

4 portions

Dans un grand bol, mettre la viande, 1 c. à soupe d'huile d'olive, l'ail, la pâte de tomates, le paprika, le cumin, la coriandre moulue, l'origan, les flocons de piment et du sel au goût. Faire pénétrer les épices dans la viande, puis laisser mariner au réfrigérateur pendant au moins 30 minutes.

Dans une casserole moyenne, porter l'eau et le quinoa à ébullition. Baisser le feu et laisser mijoter pendant 5 minutes. Ajouter les haricots rouges et laisser mijoter de 5 à 7 minutes ou jusqu'à ce que l'eau soit absorbée.

Ajouter les oignons verts et la coriandre fraîche, puis incorporer du zeste et du jus de lime au goût. Assaisonner, couvrir et laisser reposer.

Bien mélanger la viande avec les flocons de quinoa.

Dans une grande poêle antiadhésive, à feu vif, chauffer un peu d'huile d'olive et cuire la viande environ 3 minutes de chaque côté. (Procéder en deux étapes afin de ne pas surcharger la poêle.)

Rectifier l'assaisonnement du quinoa et des haricots au besoin. Servir avec la viande et un peu de yogourt.

Arroser la viande et les accompagnements de jus de lime avant de servir.

1 kg (2 lb) de bifteck de croupe, en longues lamelles épaisses
Huile d'olive
3 gousses d'ail, hachées très finement
1 c. à soupe de pâte ou de concentré de tomates
2 c. à thé (à café) de paprika fumé
2 c. à thé (à café) de cumin moulu
1 c. à thé (à café) de coriandre moulue
1 c. à thé (à café) d'origan moulu
Flocons de piment
750 ml (3 tasses) d'eau
270 g (1 ½ tasse) de quinoa, rincé et égoutté
400 g (2 tasses) de haricots rouges en conserve, rincés et égouttés
4 oignons verts, en tranches
3 c. à soupe de coriandre fraîche, hachée
Zeste râpé et jus de lime (citron vert)
100 g (½ tasse) de flocons de quinoa
Yogourt nature grec
Sel et poivre du moulin

Poivrons farcis

Huile d'olive

1 gros oignon, haché finement

500 g (1 lb) de bœuf haché

1 c. à soupe de graines de cumin

2 gousses d'ail, hachées finement

1 grosse tomate, hachée
*   très finement*

225 g (1 ¼ tasse) de quinoa,
*   rincé et égoutté*

500 ml (2 tasses) d'eau

6 poivrons rouges ou verts moyens
*   ou gros*

1 poignée de persil plat frais,
*   haché*

Sel et poivre du moulin

Dans une grande poêle, chauffer 2 c. à soupe d'huile d'olive et faire sauter l'oignon jusqu'à ce qu'il soit tendre et doré.

Ajouter le bœuf haché, bien mélanger et faire revenir jusqu'à ce qu'il soit légèrement doré.

Incorporer le cumin et l'ail. Cuire de 1 à 2 minutes ou jusqu'à ce qu'ils libèrent tous leurs parfums.

Ajouter la tomate, le quinoa et l'eau, puis assaisonner au goût. Porter à ébullition, baisser le feu, couvrir et laisser mijoter environ 10 minutes, en remuant de temps à autre, jusqu'à ce que l'eau soit complètement absorbée.

Entre-temps, préchauffer le four à 200 °C/400 °F/gaz 6.

Couper les poivrons en deux sur la longueur. Épépiner et retirer les membranes. (On peut aussi couper le dessus pour faire un « chapeau » et évider l'intérieur.)

Farcir les poivrons avec la viande et ranger dans un plat de cuisson. Couvrir avec les « chapeaux » s'il y a lieu, arroser d'huile d'olive et assaisonner au goût.

Cuire les poivrons au four de 20 à 30 minutes ou jusqu'à ce qu'ils soient parfaitement cuits et légèrement noircis. Garnir de persil avant de servir.

La recette prévoit trois côtelettes par personne, mais il est toujours bon d'en faire cuire un peu plus. Elles sont si savoureuses qu'on vous en redemandera !

Côtelettes d'agneau épicées

4 portions

12 côtelettes d'agneau

100 g (1 tasse) de flocons
    de quinoa

1 c. à thé (à café) de cumin moulu

1 c. à thé (à café) de graines
    de cumin

½ c. à thé (à café) de coriandre
    moulue

1 c. à thé (à café) de paprika

¼ de c. à thé (à café) de cannelle
    moulue

½ à 1 c. à thé (à café) de flocons
    de piment

2 c. à soupe de quinoa grillé
    (recette page 37)

Le zeste râpé de 1 citron

3 gousses d'ail, hachées
    très finement

3 c. à soupe de persil plat, haché

75 g (½ tasse) de farine
    de quinoa

2 œufs, battus légèrement

Huile d'olive

Quartiers de citron

Sel

Parer les côtelettes d'agneau et les aplatir légèrement à l'aide d'un attendrisseur à viande. Réserver.

Dans un bol, mélanger les flocons de quinoa, le cumin moulu, les graines de cumin, la coriandre, le paprika, la cannelle, les flocons de piment et le quinoa grillé. Saler au goût.

Ajouter le zeste de citron, l'ail et le persil. Bien mélanger et réserver.

Fariner les côtelettes d'agneau avec la farine de quinoa, puis les tremper dans les œufs battus.

Dans une grande poêle, à feu vif, chauffer un peu d'huile d'olive et cuire les côtelettes environ 3 minutes de chaque côté ou jusqu'à ce qu'elles soient dorées et croustillantes.

Servir avec des quartiers de citron.

Côtelettes de porc en croûte de sauge et de pommes

À l'aide d'un attendrisseur à viande ou d'un rouleau à pâtisserie, aplatir les côtelettes de porc jusqu'à ce qu'elles aient environ 1 cm (½ po) d'épaisseur.

Dans une assiette, mélanger les flocons de quinoa, la sauge, la ciboulette et le paprika, puis assaisonner au goût.

Dans un autre bol, à l'aide d'un fouet, battre les œufs avec le lait et la moutarde.

Fariner les côtelettes avec la farine de quinoa, puis les tremper dans les œufs battus avant de les enrober de flocons de quinoa. Si possible, réfrigérer la viande environ 30 minutes avant de procéder à la cuisson.

Dans une grande poêle, à feu vif, chauffer un peu d'huile d'olive et cuire les côtelettes jusqu'à ce qu'elles soient cuites et dorées de chaque côté.

Compote de pommes : dans une petite casserole, porter tous les ingrédients à ébullition. Baisser le feu, couvrir et laisser mijoter jusqu'à ce que les fruits soient tendres. (Ajouter un peu d'eau si les pommes sont trop sèches.) Réduire en purée à l'aide d'une fourchette.

Servir les côtelettes de porc avec la compote de pommes.

4 côtelettes de porc

150 g (1 ½ tasse) de flocons de quinoa

1 ½ à 2 c. à soupe de sauge fraîche, hachée finement

2 c. à soupe de ciboulette fraîche, hachée finement

1 c. à thé (à café) de paprika moulu

2 œufs

1 c. à soupe de lait

1 c. à soupe de moutarde anglaise

75 g (½ tasse) de farine de quinoa

Huile d'olive

Sel et poivre du moulin

COMPOTE DE POMMES

2 pommes vertes, pelées, évidées et coupées en morceaux

1 ou 2 c. à soupe de cassonade ou de sucre roux

125 ml (½ tasse) d'eau

Volaille

Si vous adorez les piments, vous pouvez augmenter la quantité à votre goût. Les pépins sucrés et juteux de la grenade atténueront leur puissance.

Poulet épicé et quinoa à la grenade

4 portions

8 pilons de poulet

2 à 4 piments oiseaux,
   hachés grossièrement

1 gros oignon rouge,
   haché grossièrement

4 grosses gousses d'ail

2 c. à thé (à café) de sel d'ail

2 feuilles de laurier fraîches
   ou séchées, hachées

2 c. à soupe de paprika fumé

2 c. à soupe de whisky écossais

2 c. à soupe de sauce Worcestershire

Le zeste râpé et le jus de 2 citrons

Huile d'olive

QUINOA À LA GRENADE

1 c. à soupe d'huile d'olive

2 échalotes, hachées finement

270 g (1 ½ tasse) de quinoa noir,
   rincé et égoutté

750 ml (3 tasses) de bouillon
   de poulet, chaud

2 c. à soupe de feuilles de thym,
   hachées

1 grosse grenade

30 g (½ tasse) de persil plat frais,
   haché

Faire deux ou trois incisions dans chaque pilon de poulet avant de les ranger dans un plat de cuisson.

Au robot culinaire ou au mélangeur, réduire le reste des ingrédients et 1 c. à soupe d'huile d'olive en pâte liquide lisse.

Verser la pâte liquide sur le poulet et la faire pénétrer dans la chair. Laisser mariner au réfrigérateur pendant au moins 30 minutes.

Préchauffer le four à 190 °C/375 °F/gaz 5. Cuire le poulet dans la marinade de 35 à 40 minutes ou jusqu'à ce qu'il soit doré et parfaitement cuit en le badigeonnant des jus de cuisson de temps à autre.

Quinoa à la grenade : chauffer l'huile d'olive dans une poêle et faire sauter les échalotes jusqu'à ce qu'elles soient tendres et commencent à se colorer légèrement.

Ajouter le quinoa, le bouillon et le thym. Porter à ébullition, baisser le feu et laisser mijoter pendant 20 minutes ou jusqu'à ce que la cuisson du quinoa soit terminée et que le liquide soit absorbé. Éteindre le feu et laisser reposer à couvert environ 10 minutes.

Couper la grenade en deux et, à l'aide d'une cuillère en bois, frapper sur chacune des moitiés pour libérer les pépins et le jus.

À l'aide d'une fourchette, mélanger le quinoa avec les pépins et le jus de grenade ainsi que le persil. Étaler dans une grande assiette.

Servir le poulet sur le lit de quinoa et arroser généreusement de jus de citron.

Ce plat complet est idéal quand on a peu de temps pour cuisiner en revenant du travail ou encore pour recevoir des invités qui se pointent à l'improviste.

Poulet au safran

4 portions

Frotter le poulet avec le paprika. Dans une grande poêle, à feu moyen-vif, chauffer l'huile d'olive avec le beurre clarifié et faire revenir la volaille jusqu'à ce qu'elle soit bien dorée et cuite à moitié. Réserver dans un plat et couvrir de papier d'aluminium.

Dans la même poêle, cuire l'oignon jusqu'à ce qu'il soit tendre. Ajouter l'ail et cuire jusqu'à ce qu'il libère tous ses parfums.

Broyer légèrement les filaments de safran et les mettre dans la poêle avec le zeste de citron. Assaisonner au goût.

Ajouter le quinoa et le bouillon et bien mélanger. Remettre le poulet dans la poêle et le couvrir de quinoa.

Porter à ébullition, baisser le feu, couvrir et laisser mijoter environ 10 minutes. Parsemer d'olives, couvrir et laisser mijoter de 5 à 8 minutes ou jusqu'à ce que le liquide soit absorbé. Retirer du feu et laisser reposer de 5 à 10 minutes avant de servir.

Garnir de persil et arroser de jus de citron au goût.

1 kg (2 lb) de filets de poulet sans peau

½ à 1 c. à thé (à café) de paprika fumé

1 c. à soupe d'huile d'olive

1 c. à soupe de beurre clarifié (ghee)

1 gros oignon, haché

3 gousses d'ail, hachées finement

½ c. à thé (à café) de filaments de safran

Le zeste râpé de 1 citron

270 g (1 ½ tasse) de quinoa, rincé et égoutté

750 ml (3 tasses) de bouillon de poulet, chaud

120 g (1 tasse) d'olives vertes farcies au piment

30 g (½ tasse) de persil plat frais, haché

Jus de citron

Sel et poivre du moulin

Poulet épicé et quinoa aux fines herbes

4 portions

4 filets de poitrine (blanc) de poulet

2 c. à thé (à café) de cumin moulu

2 c. à thé (à café) de coriandre
  moulue

1 c. à thé (à café) de curcuma
  moulu

2 ou 3 gousses d'ail, hachées
  très finement

4 ou 5 c. à soupe d'huile d'olive

Le jus de 2 à 2 ½ citrons

Le zeste râpé de 1 citron

750 ml (3 tasses) d'eau

270 g (1 ½ tasse) de quinoa,
  rincé et égoutté

2 concombres libanais, en cubes

1 oignon rouge, haché finement

4 oignons verts, en tranches

10 g (½ tasse) de coriandre fraîche,
  hachée (et un peu plus pour
  garnir)

45 g (½ tasse) de menthe fraîche,
  hachée

30 g (½ tasse) de persil plat frais,
  haché

Quartiers de citron

Sel et poivre du moulin

Mélanger le poulet, le cumin, la coriandre moulue, le curcuma, l'ail,
1 c. à soupe d'huile d'olive, et le jus et le zeste de 1 citron. Assaisonner au
goût et laisser mariner au réfrigérateur pendant au moins 30 minutes.

Dans une casserole moyenne, porter l'eau et le quinoa à ébullition. Baisser
le feu, couvrir et laisser mijoter pendant 10 minutes ou jusqu'à ce que l'eau
soit complètement absorbée. Retirer du feu et laisser reposer à couvert.

Faire griller le poulet à la poêle ou au four. Couvrir de papier d'aluminium
et laisser reposer environ 10 minutes avant de servir.

Entre-temps, dans un bol, mélanger le quinoa réservé avec les concombres,
l'oignon rouge, les oignons verts, 10 g (½ tasse) de coriandre fraîche,
la menthe et le persil.

Dans un bol, à l'aide d'un fouet, mélanger le jus de 1 à 1 ½ citron et 3 ou
4 c. à soupe d'huile d'olive. Assaisonner au goût et mélanger avec le quinoa.

Découper le poulet en fines lanières et servir avec le quinoa aux fines
herbes. Garnir de coriandre fraîche et accompagner de quartiers de citron.

Augmentez ou diminuez la quantité de piments à votre goût. Aussi, vous pouvez les épépiner complètement ou partiellement selon l'intensité que vous souhaitez donner au plat.

Poulet à l'ail et aux piments

6 portions

Dans une casserole, porter le bouillon et le quinoa à ébullition. Baisser le feu, couvrir et laisser mijoter de 10 à 12 minutes ou jusqu'à ce que le bouillon soit complètement absorbé. Retirer du feu et laisser reposer à couvert.

Saupoudrer le poulet de paprika, arroser avec 1 c. à soupe d'huile d'olive et saler légèrement.

Dans une grande poêle profonde, chauffer 1 c. à soupe d'huile d'olive et faire revenir le poulet jusqu'à ce qu'il soit cuit et doré de chaque côté. Réserver au chaud dans une assiette.

Dans la même poêle, à feu moyen-vif, ajouter un peu d'huile d'olive au besoin et faire sauter l'ail, les oignons verts, les piments et les pois sucrés de 2 à 3 minutes en remuant sans cesse jusqu'à ce qu'ils soient tendres et légèrement colorés.

Verser le vin blanc et déglacer la poêle pendant 1 minute ou jusqu'à évaporation du liquide. Incorporer du zeste et du jus de lime au goût et ajouter du sel au besoin.

Mettre le quinoa et le poulet dans la poêle et réchauffer à feu doux de 1 à 2 minutes en remuant doucement. Servir aussitôt avec des quartiers de lime.

750 ml (3 tasses) de bouillon
de poulet ou d'eau

270 g (1 ½ tasse) de quinoa,
rincé et égoutté

1 kg (2 lb) de filets de poulet,
en tranches épaisses

1 c. à soupe de paprika

3 ou 4 c. à soupe d'huile d'olive

4 ou 5 gousses d'ail, hachées
finement

8 oignons verts, coupés en biais
en gros morceaux

6 à 8 longs piments rouges,
en tranches, épépinés ou non

160 g (1 tasse) de pois sucrés,
effilés

180 ml (¾ de tasse) de vin blanc

Le zeste râpé et le jus de
1 ou 2 limes (citrons verts)

Quartiers de lime

Sel

On peut faire de superbes pâtes fraîches avec de la farine de quinoa. La pâte sera un peu plus fragile qu'une pâte de blé et la confection exigera de la patience de votre part, surtout si vous êtes novice en la matière. Mais cela vaut vraiment la peine de persévérer. Les pâtes cuiront rapidement et seront un peu plus foncées après la cuisson.

Fettuccinis de quinoa, sauce au poulet et aux champignons

4 portions

Pâtes fraîches : au robot culinaire, mélanger tous les ingrédients jusqu'à formation d'une boule. (Il faut être patient, car cette étape demande du temps. Il n'est pas nécessaire de réfrigérer la pâte avant de la couper.)

À l'aide d'une machine à pâtes alimentaires, transformer la pâte en fettuccinis. (Ou faire d'autres pâtes au choix.)

Dans une grande poêle profonde, chauffer l'huile d'olive et faire revenir le poulet sur toutes les faces. Réserver dans une assiette.

Dans la même poêle, cuire les oignons verts et l'ail environ 1 minute. Ajouter les champignons et cuire environ 5 minutes ou jusqu'à ce qu'ils soient tendres.

Ajouter la crème, le bouillon et la muscade. Bien mélanger et porter à ébullition. Remettre le poulet dans la poêle et assaisonner au goût. Couvrir et cuire à feu moyen de 8 à 10 minutes ou jusqu'à ce que le poulet soit parfaitement cuit et que la sauce épaississe.

Mettre les pâtes dans une casserole d'eau bouillante salée. Dès que l'eau recommence à bouillir, compter de 3 à 5 minutes de cuisson.

Égoutter les pâtes, puis les mélanger avec le poulet dans la poêle. Bien remuer et saupoudrer de fromage avant de servir.

3 c. à soupe d'huile d'olive

750 g (1 ½ lb) de filets de poulet, en lanières

4 oignons verts, en tranches

4 gousses d'ail, hachées finement

400 g (2 tasses) de champignons, en tranches fines

310 ml (1 ¼ tasse) de crème

180 ml (¾ de tasse) de bouillon de poulet

½ à ¾ de c. à thé (à café) de muscade moulue

Parmesan ou romano, râpé

Sel et poivre du moulin

PÂTES FRAÎCHES

500 g (3 ⅓ tasses) de farine de quinoa

½ c. à thé (à café) de sel

5 gros œufs

1 c. à soupe d'huile d'olive

Ce pain de volaille est toujours apprécié lors des pique-niques. Servez-le chaud ou froid.

Pain de volaille aux légumes

 4 à 6 portions

500 g (1 lb) de poulet haché

1 gros oignon rouge,
   haché finement

2 gousses d'ail, hachées finement

2 c. à soupe de persil frais,
   haché finement

2 c. à soupe de feuilles de thym
   frais

2 c. à soupe combles de raifort
   en pot

½ à 1 poivron rouge

160 g (1 tasse) de petits pois,
   décongelés

100 g (1 tasse) de flocons
   de quinoa

1 c. à soupe d'huile d'olive

2 œufs

Sel et poivre du moulin

Préchauffer le four à 200 °C/400 °F/gaz 6. Huiler légèrement un moule à pain antiadhésif de 25 cm (10 po).

Dans un grand bol, mélanger le poulet haché, l'oignon, l'ail, le persil, le thym et le raifort.

Couper le poivron en deux, retirer les pépins et les membranes, puis couper en petits morceaux.

Égoutter les petits pois décongelés avant de les mélanger avec la préparation de poulet et le poivron.

Ajouter les flocons de quinoa, l'huile d'olive et les œufs. Assaisonner au goût et bien mélanger.

Verser la préparation dans le moule et cuire au four de 45 à 50 minutes ou jusqu'à ce que le dessus du pain soit doré.

Retirer le moule du four, couvrir de papier d'aluminium et laisser reposer de 5 à 10 minutes avant de démouler le pain dans une grande assiette.

Découper en tranches et servir avec une sauce ou un chutney au choix.

Poulet farci au bacon, à l'oignon et à la sauge

Préchauffer le four à 190 °C/375 °F/gaz 5.

Dans une grande poêle, chauffer 1 à 2 c. à soupe d'huile d'olive et faire sauter l'oignon avec le bacon jusqu'à ce qu'ils soient tendres et dorés. Ajouter l'ail et retirer du feu. Laisser refroidir légèrement.

Dans un bol, mélanger la préparation d'oignon avec les flocons de quinoa, la sauge, la ciboulette, le persil et le zeste de citron.

Assaisonner au goût, puis ajouter l'œuf. Bien mélanger jusqu'à ce que la préparation soit humide et se tienne bien.

Retirer l'excédent de gras du poulet. Rincer et éponger avec du papier absorbant.

Farcir le poulet avec la préparation et fermer la cavité à l'aide d'une petite brochette.

Mettre le poulet dans un plat de cuisson et arroser d'huile d'olive et de jus de citron au goût. Assaisonner de paprika, de sel et de poivre.

Cuire au four de 1 heure 10 minutes à 1 heure 20 minutes ou jusqu'à ce que le poulet soit parfaitement cuit et bien doré en badigeonnant des jus de cuisson de temps à autre.

Le poulet est cuit lorsqu'un jus clair s'écoule au moment de piquer une cuisse à l'aide d'une brochette. Couvrir de papier d'aluminium et laisser reposer de 10 à 15 minutes avant de servir.

Huile d'olive

1 gros oignon, haché finement

2 ou 3 tranches de bacon, hachées

2 gousses d'ail, hachées finement

100 g (1 tasse) de flocons de quinoa

2 c. à soupe de feuilles de sauge, hachées

1 ½ c. à soupe de ciboulette fraîche, hachée

2 c. à soupe de persil plat frais, haché

Le zeste râpé de 1 citron

1 gros œuf

1 poulet entier de 2 kg (4 lb)

Jus de citron

Paprika

Sel et poivre du moulin

La farce est si irrésistible qu'on peut aussi l'employer pour la dinde de Noël.

Poulet à l'orange, aux canneberges et aux pistaches

4 portions

Huile d'olive

1 oignon rouge, haché finement

2 ou 3 gousses d'ail, hachées
    finement

150 g (1 ½ tasse) de flocons
    de quinoa

1 c. à soupe de ciboulette fraîche,
    hachée

1 c. à soupe de thym frais, haché

60 g (½ tasse) de pistaches,
    écalées et hachées

50 g (⅓ de tasse) de canneberges
    (airelles) séchées

Le jus et le zeste râpé
    de 1 orange

1 gros œuf

4 poitrines (blancs) de poulet
    avec la peau

Jus de citron

Paprika doux

Sel et poivre du moulin

Préchauffer le four à 180 °C/350 °F/gaz 4. Tapisser une plaque de papier-parchemin.

Dans une poêle, chauffer 1 c. à soupe d'huile d'olive et faire sauter l'oignon jusqu'à ce qu'il soit tendre. Ajouter l'ail et cuire environ 1 minute. Retirer du feu.

Dans un bol, mélanger les flocons de quinoa, la ciboulette, le thym, les pistaches et les canneberges.

Mélanger l'oignon cuit avec le jus et le zeste d'orange, puis assaisonner au goût. Ajouter l'œuf et mélanger avec soin. Combiner ce mélange avec celui des flocons de quinoa.

Avec les doigts, détacher une partie de la peau des poitrines pour former une pochette.

Répartir la farce dans les pochettes, puis remettre la peau en place.

Ranger le poulet sur la plaque, peau vers le haut. Arroser de jus de citron et d'huile d'olive et saupoudrer légèrement de paprika.

Cuire au four de 20 à 30 minutes ou jusqu'à ce que le poulet soit parfaitement cuit et que la peau soit dorée. Retirer du four, couvrir de papier d'aluminium et laisser reposer environ 10 minutes avant de servir.

Poulet «frit» au four

6 pilons de poulet de même grosseur
   avec la peau

250 ml (1 tasse) de babeurre

Sel et poivre du moulin

ENROBAGE

150 g (1 tasse) de farine
   de quinoa

1 c. à thé (à café) de paprika fumé

1 c. à thé (à café) de paprika doux

1 c. à thé (à café) de sel de céleri

1 c. à thé (à café) de curcuma
   moulu

½ c. à thé (à café)
   d'assaisonnement au chili

Le zeste de 1 citron, finement râpé

Huile d'olive

Jus de citron

Faire trois incisions dans chaque pilon de poulet en coupant à la fois la peau et une partie de la chair.

Dans un bol, mélanger le babeurre avec un peu de sel et de poivre. Frotter le poulet avec le babeurre et prenant soin d'en mettre aussi dans les incisions.

Laisser mariner au réfrigérateur pendant 2 à 4 heures (ou toute la nuit de préférence).

Préchauffer le four à 200 °C/400 °F/gaz 6. Tapisser une grande plaque de papier-parchemin.

Dans un bol, mélanger la farine de quinoa, le paprika fumé, le paprika doux, le sel de céleri, le curcuma, l'assaisonnement au chili et le zeste de citron en prenant soin de bien répartir les épices.

Secouer légèrement le poulet pour éliminer le surplus de babeurre, puis l'enrober uniformément de farine de quinoa épicée.

Ranger les pilons sur la plaque et arroser très légèrement d'huile d'olive. Cuire au four de 40 à 45 minutes ou jusqu'à ce que le poulet soit parfaitement cuit et bien doré.

Couvrir de papier d'aluminium sans serrer et laisser reposer pendant 5 minutes avant d'arroser de jus de citron.

Poulet farci aux champignons, au bacon et au thym

Préchauffer le four à 180 °C/350 °F/gaz 4.

Dans une poêle antiadhésive, chauffer 1 c. à soupe d'huile d'olive et faire sauter le bacon jusqu'à ce qu'il soit doré. Ajouter les champignons et les oignons verts et cuire jusqu'à ce que les champignons soient tendres (ajouter un peu d'huile s'ils deviennent trop secs).

Ajouter l'ail et cuire quelques secondes. Incorporer 1 c. à soupe de moutarde et assaisonner au goût en n'oubliant pas que le bacon est déjà salé.

Ajouter les flocons de quinoa, retirer du feu et laisser refroidir légèrement.

Entre-temps, parer les poitrines et faire une pochette profonde dans chacune sans les couper complètement en deux.

Mélanger la préparation de champignons avec l'œuf et bien mélanger. Farcir les pochettes et fermer les cavités à l'aide de brochettes métalliques.

Ranger le poulet dans un plat de cuisson et arroser légèrement d'huile d'olive. Étaler le reste de la moutarde sur la volaille et parsemer de feuilles de thym.

Assaisonner au goût et cuire au four de 20 à 25 minutes ou jusqu'à ce que le poulet soit parfaitement cuit et bien doré. Retirer le plat du four, couvrir et laisser reposer environ 5 minutes avant de servir.

Huile d'olive

150 g (5 oz) de bacon, en dés

150 g (¾ de tasse) de champignons, en dés

4 oignons verts, hachés finement

2 gousses d'ail, hachées finement

2 c. à soupe de moutarde de Dijon

100 g (1 tasse) de flocons de quinoa

4 poitrines (blancs) de poulet

1 gros œuf

Feuilles de thym

Sel et poivre du moulin

La cardamome noire a un goût fumé très subtil. Vous pouvez la remplacer par de la cardamome verte si vous préférez.

Cailles rôties et quinoa à la cardamome

4 portions

750 ml (3 tasses) de bouillon
   de poulet, chaud

270 g (1 ½ tasse) de quinoa, rincé
   et égoutté

4 c. à soupe de flocons de quinoa

2 c. à soupe de feuilles de thym
   frais

4 c. à soupe d'huile d'olive

2 c. à soupe de miel

2 c. à soupe de jus de citron
   ou de lime (citron vert)

8 cailles

6 à 8 gousses de cardamome
   noire

1 morceau de gingembre,
   en tranches

4 gousses d'ail, en tranches

Quelques feuilles de Murraya

Piments longs séchés entiers

10 g (½ tasse) de coriandre fraîche,
   hachée

Jus de lime (citron vert)

Sel et poivre du moulin

Dans une casserole, porter le bouillon et le quinoa à ébullition. Baisser le feu et laisser mijoter pendant 10 minutes ou jusqu'à ce que le bouillon soit complètement absorbé. Retirer du feu et laisser refroidir.

Préchauffer le four à 180 °C/350 °F/gaz 4. Mélanger les flocons de quinoa avec le thym et réserver.

Dans un bol, à l'aide d'un fouet, mélanger 2 c. à soupe d'huile d'olive, le miel et le jus de citron.

Rincer et bien nettoyer les cailles, puis éponger avec du papier absorbant. Brider les cailles, puis assaisonner au goût. Badigeonner généreusement avec la préparation de miel.

Saupoudrer de flocons de quinoa et presser légèrement pour qu'ils adhèrent bien à la chair. Arroser avec le reste de la préparation de miel.

Ranger les cailles dans un plat à rôtir et cuire au four de 20 à 30 minutes ou jusqu'à ce qu'elles soient parfaitement cuites et dorées. Retirer le plat du four, couvrir de papier d'aluminium et réserver au chaud.

Dans une grande poêle, chauffer le reste de l'huile d'olive. Écraser légèrement les gousses de cardamome et les mettre dans la poêle avec le gingembre, l'ail, les feuilles de Murraya et des piments au goût. Remuer et cuire de 1 à 2 minutes ou jusqu'à ce que les épices libèrent tous leurs parfums.

Ajouter le quinoa réservé, saler au goût et poursuivre la cuisson jusqu'à ce qu'il soit bien chaud. Incorporer la coriandre et servir dans une grande assiette. Dresser les cailles au centre et arroser de jus de lime avant de servir.

Canard rôti et salade de radis

Dans une casserole, porter l'eau et le quinoa à ébullition. Baisser le feu et laisser mijoter pendant 10 minutes ou jusqu'à ce que l'eau soit complètement absorbée. Retirer du feu et laisser reposer à couvert de 10 à 15 minutes. Laisser refroidir complètement et réserver.

Dans un petit bol, mélanger le cinq-épices, le gingembre, la cannelle, les flocons de piment, l'ail, le tamari, le miel, le vin de cuisson chinois et le sucre.

Rincer l'intérieur et l'extérieur du canard et bien le nettoyer.

Mettre le canard sur une grille surélevée placée dans l'évier. Piquer la peau sur toute la surface à l'aide d'une brochette et verser le contenu d'une bouilloire d'eau bouillante sur le canard (cette étape permet d'éliminer une partie du gras).

Éponger le canard avec du papier absorbant et laisser refroidir avant de le frotter avec la marinade sèche. Laisser mariner au réfrigérateur pendant au moins 1 heure.

Préchauffer le four à 190 °C/375 °F/gaz 5. Cuire le canard pendant 30 minutes, puis baisser la température à 180 °C/350 °F/gaz 4. Poursuivre la cuisson pendant 1 heure à 1 heure 10 minutes ou jusqu'à ce que la volaille soit parfaitement cuite et dorée. Couvrir de papier d'aluminium et laisser reposer pendant 15 minutes avant de servir.

Salade de radis : mettre le quinoa réservé dans un bol avec le reste des ingrédients. Rectifier l'assaisonnement.

Découper la volaille et servir sur un lit de salade.

500 ml (2 tasses) d'eau

180 g (1 tasse) de quinoa, rincé et égoutté

1 c. à thé (à café) de cinq-épices moulu

1 c. à thé (à café) de gingembre moulu

½ c. à thé (à café) de cannelle moulue

1 c. à thé (à café) de flocons de piment

2 gousses d'ail, hachées finement

2 c. à soupe de tamari

2 c. à soupe de miel

2 c. à soupe de vin de cuisson chinois (Shaoxing)

½ c. à thé (à café) de sucre

1 canard de 2 kg (4 lb)

SALADE DE RADIS

6 radis, en tranches

3 concombres, en cubes

2 branches de céleri, en tranches

2 longs piments rouges, hachés

10 g (½ tasse) de coriandre fraîche, hachée

3 c. à soupe de vinaigre de riz

1 c. à soupe d'huile végétale

Le jus de ½ à 1 lime (citron vert)

Sel et poivre du moulin

Poisson
et fruits de mer

Cette recette est une bonne façon d'initier les enfants au goût du poisson. Elle est bien meilleure pour la santé que le poisson-frites riche en matière grasse !

Poisson en croûte de citron et de ciboulette et salade de quinoa

4 à 6 portions

Dans une assiette, mélanger les flocons de quinoa, le zeste de citron, la ciboulette et les flocons de piment. Assaisonner au goût.

Verser la farine de quinoa dans un bol, fariner les filets de poisson, puis les tremper dans les œufs battus.

Enrober le poisson uniformément de flocons de quinoa.

Dans une grande poêle, à feu moyen-vif, chauffer un peu d'huile végétale et cuire les filets de 3 à 5 minutes de chaque côté selon leur épaisseur.

Égoutter le poisson sur du papier absorbant, arroser de jus de citron et servir aussitôt avec la salade de quinoa.

250 g (2 ½ tasses) de flocons de quinoa

Le zeste râpé de 1 gros citron

3 c. à soupe de ciboulette fraîche, hachée

½ à 1 c. à thé (à café) de flocons de piment (facultatif)

150 g (1 tasse) de farine de quinoa

1 kg (2 lb) de filets de poisson sans arêtes

2 ou 3 gros œufs, battus légèrement

Huile végétale (pour la friture)

Jus de citron

Sel et poivre du moulin

Suite page 162

SALADE DE QUINOA

330 ml (1 ⅓ tasse) d'eau

120 g (⅔ de tasse) de quinoa,
   rincé et égoutté

Mesclun ou laitue au choix

1 concombre, coupé en deux sur la
   longueur, puis en tranches

1 ou 2 tomates, en petits quartiers

1 petit oignon rouge, coupé en deux,
   puis en tranches fines

Jus de citron

Salade de quinoa : dans une petite casserole, porter l'eau et le quinoa à ébullition. Baisser le feu et laisser mijoter pendant 10 minutes ou jusqu'à ce que l'eau soit complètement absorbée. Retirer du feu et laisser reposer à couvert pendant 10 minutes. Laisser refroidir complètement.

Dans un grand bol, mélanger le quinoa refroidi avec le reste des ingrédients.

Les croquettes de poisson sont tendres et croustillantes grâce à l'enrobage de flocons de quinoa. Une bonne façon d'éviter le poisson caoutchouteux !

Croquettes de poisson aux haricots verts

Donne environ 20 croquettes

Mélanger les flocons de quinoa avec les feuilles de coriandre et réserver dans une assiette.

Au robot culinaire, émincer finement l'oignon, l'ail, les piments, le gingembre, la citronnelle et la feuille de lime kaffir.

Couper le poisson en morceaux et l'ajouter dans le bol du robot en même temps que l'œuf, la coriandre, le cumin et la sauce de poisson. Bien mélanger sans réduire en purée. Verser dans un bol et ajouter les haricots verts.

Façonner la préparation en petites boules, puis les aplatir légèrement avant de les enrober du mélange de flocons de quinoa et de coriandre.

Dans une poêle, chauffer un peu d'huile végétale et cuire les croquettes environ 2 minutes de chaque côté ou jusqu'à ce qu'elles soient bien dorées. (Il est important de ne pas les cuire trop longtemps.)

À l'aide d'une cuillère à égoutter, déposer les croquettes sur du papier absorbant. Servir aussitôt avec du jus de lime et de la sauce chili au goût.

100 g (1 tasse) de flocons
de quinoa

2 c. à soupe de feuilles de coriandre,
hachées finement

1 petit oignon rouge, haché

4 gousses d'ail, hachées

1 ou 2 piments rouges

1 morceau de gingembre ou de
galanga de 2,5 cm (1 po),
en tranches

1 tige de citronnelle, en tranches

1 feuille de lime kaffir (combava),
en fines lanières

500 g (1 lb) de filets de poisson
blanc sans arêtes

1 gros œuf

3 c. à soupe de coriandre fraîche,
hachée (racines et feuilles)

½ c. à thé (à café) de cumin moulu

2 ou 3 c. à soupe de sauce
de poisson

90 g (½ tasse) de haricots verts,
en très petits morceaux

Huile végétale (pour la friture)

Jus de lime (citron vert)

Sauce chili douce

Truites aux amandes et à l'estragon

 2 portions

40 g (⅓ de tasse) d'amandes
   effilées

1 grosse tomate

3 c. à soupe de beurre

4 oignons verts, hachés finement

70 g (⅔ de tasse) de flocons
   de quinoa

2 gousses d'ail, hachées finement

1 c. à soupe d'estragon frais,
   haché

1 c. à soupe de petites câpres,
   égouttées

Le jus de 1 citron

2 truites arc-en-ciel de 350 g
   (12 oz) chacune, écaillées
   et évidées

Huile d'olive

Brins d'estragon

Quartiers de citron

Sel et poivre du moulin

Dans une petite poêle sans matière grasse, faire griller doucement les amandes en remuant souvent (surveiller de près, car elles peuvent brûler très facilement). Réserver dans une assiette.

Préchauffer le four à 190 °C/375 °F/gaz 5. Tapisser une plaque de papier-parchemin.

À l'aide d'un petit couteau, faire un X dans la partie inférieure de la tomate, puis la plonger dans l'eau bouillante pendant 30 secondes. Retirer la peau, hacher la chair et réserver.

Dans une poêle moyenne, à feu moyen-vif, chauffer le beurre et faire revenir les oignons verts de 1 à 2 minutes ou jusqu'à légère coloration.

Ajouter les flocons de quinoa et l'ail. Cuire de 2 à 3 minutes en remuant souvent pour bien enrober les flocons de beurre.

Ajouter la tomate, l'estragon, les câpres, du jus de citron et les deux tiers des amandes. Assaisonner généreusement et laisser refroidir légèrement.

Saler et poivrer l'intérieur des truites et farcir avec la préparation. Fermer les cavités à l'aide de brochettes métalliques. S'il reste de la farce, l'envelopper dans une feuille de papier d'aluminium et la mettre sur la plaque avec les poissons.

Arroser les truites d'huile d'olive et de jus de citron, puis assaisonner légèrement. Cuire de 20 à 30 minutes ou jusqu'à cuisson au goût.

Garnir avec le reste des amandes et des brins d'estragon, puis servir avec des quartiers de citron.

Poisson au gingembre cuit à la vapeur

2 portions

750 ml (3 tasses) d'eau

270 g (1 ½ tasse) de quinoa,
  rincé et égoutté

4 filets de poisson épais de 200 g
  (7 oz) chacun

1 morceau de gingembre,
  pelé et coupé en julienne

2 c. à soupe de tamari
  (et un peu plus pour servir)

2 c. à soupe d'huile végétale

6 oignons verts, en tranches

2 longs piments rouges,
  épépinés et hachés finement

3 gousses d'ail, hachées finement

1 c. à soupe de gingembre frais,
  haché

3 gros œufs, battus légèrement

2 oignons verts, en fines lanières

Feuilles de coriandre

Tranches de piment

Sel

HUILE GRÉSILLANTE

4 c. à soupe d'huile végétale

1 c. à thé (à café) d'huile
  de sésame

2 gousses d'ail, en tranches

Dans une casserole moyenne, porter l'eau et le quinoa à ébullition. Baisser le feu, couvrir et laisser mijoter pendant 10 minutes ou jusqu'à ce que l'eau soit complètement absorbée. Laisser reposer à couvert pendant 10 minutes.

Mettre les filets de poisson dans une assiette. Couvrir de gingembre et de tamari. Placer l'assiette dans une marmite à vapeur remplie d'eau frémissante.

Couvrir et cuire à la vapeur de 10 à 12 minutes ou jusqu'à ce que le poisson soit presque complètement cuit. Éteindre le feu et laisser reposer à couvert.

Dans une grande poêle, chauffer l'huile végétale et faire revenir les oignons verts, les piments, l'ail et le gingembre haché de 2 à 3 minutes.

Ajouter le quinoa et remuer de 2 à 3 minutes pour bien l'enrober des autres ingrédients.

Ajouter les œufs et remuer jusqu'à ce qu'ils soient cuits. Saler au besoin et réserver au chaud.

Dresser le poisson dans une grande assiette et l'arroser des jus de cuisson. Garnir de lanières d'oignons verts et ajouter du tamari au goût.

Huile grésillante : dans une poêle, chauffer l'huile végétale et l'huile de sésame jusqu'à ce qu'elles soient très chaudes. Ajouter l'ail, remuer quelques secondes et verser sur le poisson.

Garnir le poisson de coriandre et de tranches de piment et servir avec le quinoa.

Le curcuma est un puissant antioxydant aux propriétés anti-inflammatoires. Les médecines chinoise et ayurvédique utilisent couramment la curcumine, pigment principal du curcuma, pour traiter certaines maladies.

Crevettes et petits pois au curcuma

4 portions

Dans une grande poêle, chauffer l'huile d'olive et faire sauter le poireau jusqu'à ce qu'il soit tendre.

Ajouter l'ail et le curcuma (porter des gants pour éviter de se tacher les mains en le manipulant) et cuire de 1 à 2 minutes de plus.

Ajouter le quinoa et l'eau, puis assaisonner au goût. Mélanger, couvrir, baisser le feu et laisser mijoter environ 8 minutes.

Ajouter les crevettes et ramener à ébullition. Baisser le feu et cuire à couvert pendant 10 minutes ou jusqu'à ce que les crevettes soient roses et que le liquide soit presque complètement absorbé.

Ajouter les petits pois, couvrir et cuire pendant 5 minutes. Éteindre le feu et laisser reposer de 5 à 10 minutes avant de servir avec beaucoup de jus de citron. Garnir de persil et accompagner de quartiers de citron.

2 c. à soupe d'huile d'olive

1 poireau, en tranches fines

4 ou 5 gousses d'ail, hachées finement

2 c. à soupe de curcuma frais, râpé grossièrement

270 g (1 ½ tasse) de quinoa

810 ml (3 ¼ tasses) d'eau ou de fumet de poisson, chaud

750 g (1 ½ lb) de crevettes avec ou sans la carapace

120 g (¾ de tasse) de petits pois surgelés

Jus et quartiers de citron

2 c. à soupe de persil plat frais, haché

Sel et poivre du moulin

Ce mets plaît aux petits et aux grands. Il est plus facile à digérer que le véritable riz frit.

«Riz frit»

6 portions

750 ml (3 tasses) d'eau

270 g (1 ½ tasse) de quinoa,
  rincé et égoutté

2 œufs

1 c. à thé (à café) de sauce soja

1 c. à soupe d'eau

3 c. à soupe d'huile végétale

½ c. à thé (à café) d'huile
  de sésame

3 tranches de bacon, en dés

500 g (1 lb) de crevettes,
  décortiquées et déveinées

8 oignons verts, en tranches (le
  blanc et une partie du vert)

80 g (½ tasse) de petits pois
  surgelés

200 g (7 oz) d'épis de maïs
  miniatures ou 400 g (14 oz)
  d'épis en conserve, égouttés

2 ou 3 c. à soupe de tamari léger

Sauce soja

Oignons verts, hachés

Dans une casserole, porter l'eau et le quinoa à ébullition. Baisser le feu, couvrir et laisser mijoter pendant 10 minutes ou jusqu'à ce que l'eau soit complètement absorbée. Étaler dans une grande assiette et laisser refroidir complètement.

Dans un bol, à l'aide d'un fouet, battre légèrement les œufs avec la sauce soja et l'eau. Dans un wok, chauffer 1 c. à soupe d'huile végétale et verser les œufs pour faire une omelette.

Rouler l'omelette à l'aide d'une spatule, puis la mettre dans une assiette. Couper en fines lanières et réserver.

Dans le même wok, à feu vif, chauffer le reste de l'huile végétale avec l'huile de sésame. Cuire le bacon, les crevettes et les oignons verts en remuant sans cesse jusqu'à ce que les crevettes deviennent roses et que le bacon commence à être croustillant.

Ajouter les petits pois et les épis de maïs. Cuire de 2 à 3 minutes en remuant sans cesse.

Ajouter le tamari et le quinoa refroidi. Cuire de 3 à 4 minutes pour réchauffer le quinoa. Incorporer délicatement l'omelette en lanières et servir aussitôt. Servir avec de la sauce soja et des oignons verts au goût.

Crevettes à la mangue et quinoa au lait de coco

Dans une petite casserole, porter le lait de coco, l'eau, le quinoa et l'écorce de lime à ébullition. Baisser le feu, couvrir et laisser mijoter de 12 à 15 minutes ou jusqu'à ce que le liquide soit complètement absorbé. Laisser reposer à couvert environ 10 minutes.

Dans une grande poêle, chauffer l'huile végétale et faire sauter les échalotes, l'ail et les piments jusqu'à ce qu'ils soient tendres.

Ajouter les crevettes et cuire jusqu'à ce qu'elles soient roses.

Ajouter le jus de lime, la sauce de poisson et l'eau chaude, puis cuire de 1 à 2 minutes.

Ajouter les mangues et la coriandre et cuire jusqu'à ce que les fruits soient chauds et que la sauce commence à épaissir. Rectifier l'assaisonnement au besoin.

Détacher les grains de quinoa à l'aide d'une fourchette. Disposer les crevettes sur un lit de quinoa et accompagner de quartiers de lime. Arroser les crevettes avec un peu de jus de lime au goût.

375 ml (1 ½ tasse) de lait de coco

375 ml (1 ½ tasse) d'eau

270 g (1 ½ tasse) de quinoa, rincé et égoutté

1 morceau d'écorce de lime (citron vert)

2 c. à soupe d'huile végétale

2 grosses échalotes, hachées finement

4 gousses d'ail, hachées finement

1 ou 2 longs piments rouges ou verts, en tranches

750 g (1 ½ lb) de crevettes, décortiquées et déveinées

Le jus de 1 lime (citron vert) (et un peu plus pour servir)

1 c. à soupe de sauce de poisson

125 ml (½ tasse) d'eau chaude

2 mangues fraîches, pelées et coupées en cubes

Feuilles de coriandre, hachées grossièrement

4 quartiers de lime

Sel et poivre du moulin

Ce sompteux repas peut être assemblé en un rien de temps. Si vous nettoyez les calmars vous-même, faites cuire les têtes et les tentacules en même temps que les corps.

Calmars et quinoa à la méditerranéenne

4 portions

Dans une casserole, porter l'eau et le quinoa à ébullition. Baisser le feu, couvrir et laisser mijoter pendant 10 minutes ou jusqu'à ce que l'eau soit complètement absorbée. Retirer du feu et laisser reposer à couvert.

Dans une grande poêle, chauffer 2 ou 3 c. à soupe d'huile d'olive et faire sauter les anchois de 1 à 2 minutes ou jusqu'à ce qu'ils commencent à se défaire (attention aux éclaboussures).

Ajouter l'ail et les piments et cuire environ 2 minutes ou jusqu'à légère coloration de l'ail. Ajouter les câpres et bien remuer.

Ajouter le quinoa et bien mélanger. Cuire jusqu'à ce que tous les ingrédients soient bien chauds. Retirer du feu, incorporer le persil et réserver au chaud.

Insérer un couteau à longue lame dans chaque calmar. À l'aide d'un couteau bien affûté, faire des incisions sur toute la largeur (voir photo ci-contre). (Le fait d'insérer une lame dans les calmars permet de les inciser sans couper la partie inférieure.)

Mélanger la farine de quinoa avec du sel et du poivre au goût. Chauffer un peu d'huile d'olive dans une poêle. Enrober les calmars de farine de quinoa et frire environ 3 minutes de chaque côté ou jusqu'à ce qu'ils soient dorés.

Servir le quinoa dans une grande assiette et dresser les calmars au centre. Arroser de jus de citron et d'un peu d'huile d'olive.

Accompagner de quartiers de citron et servir aussitôt.

750 ml (3 tasses) d'eau

270 g (1 ½ tasse) de quinoa, rincé et égoutté

Huile d'olive

6 à 10 anchois, hachés (facultatif)

4 gousses d'ail, en tranches fines

2 ou 3 longs piments rouges, en tranches

3 c. à soupe de câpres, égouttées

1 poignée de persil plat frais, haché grossièrement

12 petits corps de calmars entiers

150 g (1 tasse) de farine de quinoa

Jus et quartiers de citron

Sel et poivre du moulin

Calmars farcis

4 gros corps de calmars, nettoyés

560 ml (2 ¼ tasses) d'eau

180 g (1 tasse) de quinoa,
*   rincé et égoutté*

4 c. à soupe d'huile d'olive

1 petit oignon, haché très
*   finement*

4 gousses d'ail, hachées
*   très finement*

2 tomates, hachées très finement

2 c. à soupe de persil plat frais,
*   haché (et un peu plus pour*
*   garnir)*

400 g (2 tasses) de tomates en dés
*   en conserve*

1 c. à thé (à café) comble d'origan
*   séché*

Sel et poivre du moulin

Séparer les têtes des corps de calmars. Retirer le fin cartilage et tirer doucement sur la peau très mince. Les nageoires s'enlèveront en même temps que la peau. Retirer les yeux et la bouche. Couper un petit morceau dans la partie inférieure du corps pour permettre à l'eau de s'écouler sans obstacle, puis rincer avec soin.

Dans une petite casserole, porter 500 ml (2 tasses) d'eau et le quinoa à ébullition. Baisser le feu, couvrir et laisser mijoter pendant 10 minutes ou jusqu'à ce que l'eau soit complètement absorbée.

Entre-temps, dans une grande poêle, chauffer 2 c. à soupe d'huile d'olive et faire sauter l'oignon jusqu'à ce qu'il soit doré. Ajouter 2 gousses d'ail et cuire pendant 30 secondes.

Ajouter les tomates fraîches et leur jus, 60 ml (¼ de tasse) d'eau et le persil. Assaisonner au goût. Cuire de 3 à 4 minutes, puis ajouter le quinoa. Laisser refroidir légèrement.

Farcir les calmars aux trois quarts avec la préparation de quinoa. Fermer l'ouverture à l'aide d'un cure-dent.

Préchauffer le four à 190 °C/375 °F/gaz 5.

Mélanger les tomates en conserve avec l'origan et le reste de l'ail et de l'huile d'olive. Assaisonner au goût.

Suite page 175

Ranger les calmars farcis dans un plat de cuisson. Couvrir avec la préparation aux tomates. (Si vous avez nettoyé les calmars vous-même, ajouter les tentacules ou les hacher finement et les ajouter à la farce au moment de faire sauter l'oignon.)

Cuire au four de 20 à 25 minutes (les calmars rétréciront beaucoup en cours de cuisson).

Garnir de persil et servir aussitôt.

La pâte de cette pizza a un bon goût de noisette. Facile à préparer, elle ne contient pas de gluten et ne nécessite ni pétrissage ni temps de repos.

Pizza au saumon fumé

2 portions

---

300 g (2 tasses) de farine de quinoa

1 c. à thé (à café) de levure
   chimique (poudre à pâte)

½ c. à thé (à café) de bicarbonate
   de soude

½ c. à thé (à café) d'origan moulu

1 c. à thé (à café) de sel d'ail

160 ml (⅔ de tasse) d'eau chaude

2 c. à soupe d'huile d'olive

GARNITURE

1 petit oignon rouge,
   en tranches fines

Le jus de ½ lime (citron vert)

150 g (⅔ de tasse) de fromage
   à la crème

Roquette

150 g (5 oz) de saumon fumé,
   en tranches fines

250 g (2 tasses) de bocconcinis,
   en morceaux

2 c. à soupe de câpres

Huile d'olive

Poivre du moulin

Préchauffer le four à 200 °C/400 °F/gaz 6.

Dans un bol, tamiser la farine, la levure chimique et le bicarbonate de soude. Ajouter l'origan et le sel d'ail et creuser une fontaine au centre.

Verser l'eau chaude et l'huile d'olive dans le creux et incorporer la farine aux ingrédients liquides avec le bout des doigts jusqu'à ce que la pâte se tienne bien. Ajouter un peu d'eau si la pâte semble trop sèche.

Mettre la pâte sur un plan de travail fariné et former un cercle plat. Placer la pâte sur une feuille de papier-parchemin et l'abaisser jusqu'à l'obtention d'un cercle ou d'un carré très mince. Placer la pâte (et le papier) sur une plaque et cuire au four de 15 à 20 minutes.

Entre-temps, mélanger l'oignon et le jus de lime dans un bol. Laisser reposer pendant 15 minutes.

Sortir la pâte du four et couvrir de fromage à la crème. Répartir ensuite la roquette, le saumon fumé, les bocconcinis (ou de petites cuillerées de fromage à la crème), les câpres et l'oignon.

Arroser d'huile d'olive, poivrer au goût et servir aussitôt.

Cette recette obtient toujours beaucoup de succès. On peut remplacer la farine de quinoa par de la farine de blé et personne ne saura faire la différence.

Thon croustillant au cari

 4 portions

400 g (14 oz) de thon en conserve
dans l'eau ou la saumure

2 c. à soupe + 1 c. à thé (à café)
de beurre

3 c. à soupe de farine de quinoa

1 c. à thé (à café) de poudre
de cari

310 ml (1 ¼ tasse) de lait

180 à 210 g (1 ½ à 1 ¾ tasse)
de fromage doux ou fort, râpé

90 g (3 tasses) de flocons de maïs

Sel et poivre du moulin

Préchauffer le four à 180 °C/350 °F/gaz 4.

Égoutter et effeuiller le thon, puis l'étaler dans un plat de cuisson.

Dans une casserole, chauffer 2 c. à soupe de beurre, puis incorporer la farine et le cari pour former un roux.

Verser le lait en remuant constamment jusqu'à ce que la sauce commence à épaissir et à bouillonner. Assaisonner au goût, puis ajouter 60 à 90 g (½ à ¾ tasse) de fromage. Cuire environ 2 minutes, jusqu'à ce que le fromage soit fondu et que la sauce devienne épaisse et bouillonnante.

Verser la sauce sur le thon et bien mélanger.

Dans un autre bol, écraser légèrement les flocons de maïs, puis ajouter le reste du fromage. Étaler uniformément sur le thon.

Couvrir avec le reste du beurre en noisettes et cuire au four de 15 à 20 minutes ou jusqu'à ce que la garniture soit dorée et croustillante.

Saumon aux olives et aux tomates séchées

Préchauffer le four à 180 °C/350 °F/gaz 4. Tapisser une plaque de papier-parchemin.

Parer les filets de saumon afin qu'ils aient tous la même forme, puis les ranger sur la plaque, peau vers le fond.

Au robot culinaire, hacher finement les tomates séchées, l'ail, le piment, quelques feuilles de basilic, la ciboulette, les olives et le parmesan avec le jus et le zeste de citron et 2 c. à soupe d'huile d'olive. Mélanger sans réduire en purée.

Ajouter du sel et du poivre au besoin, puis bien mélanger avec les flocons de quinoa. (La préparation doit bien se tenir quand on la presse entre les doigts.)

Séparer la préparation en quatre et l'étaler uniformément sur chacun des filets de poisson.

Arroser d'huile d'olive et cuire au four de 15 à 20 minutes ou jusqu'à ce que le saumon soit cuit (éviter de trop cuire inutilement) et que la garniture soit dorée.

Servir avec des quartiers de citron et garnir de feuilles de basilic au goût.

4 filets de saumon de 200 g (7 oz) chacun avec la peau

60 g (1 tasse) de tomates séchées

2 ou 3 gousses d'ail

1 long piment rouge

Feuilles de basilic

3 c. à soupe de ciboulette fraîche, hachée

60 g (½ tasse) d'olives Kalamata, dénoyautées

35 g (⅓ de tasse) de parmesan

Le jus et le zeste râpé de 1 citron

Huile d'olive

135 g (1 ⅓ tasse) de flocons de quinoa

4 quartiers de citron

Sel et poivre du moulin

Desserts

N'hésitez pas à faire une double recette, car ces biscuits disparaissent dans le temps de le dire ! Ils sont parfaits pour accompagner le thé de l'après-midi ou pour glisser dans le panier à pique-nique.

Biscuits aux pistaches

Donne 20 à 24 biscuits

150 g (1 tasse) de farine
de quinoa

1 ½ c. à thé (à café) de levure
chimique (poudre à pâte)

1 c. à thé (à café) de bicarbonate
de soude

100 g (1 tasse) de flocons
de quinoa

120 g (1 tasse) de pistaches
non salées, écalées et hachées
grossièrement

240 g (1 tasse) de sucre semoule
(superfin)

160 g (⅔ de tasse) de beurre
non salé, fondu

1 c. à thé (à café) de pâte
ou d'extrait de vanille

1 gros œuf, battu légèrement

Préchauffer le four à 180 °C/350 °F/gaz 4. Tapisser deux plaques de papier-parchemin.

Dans un bol, tamiser la farine de quinoa, la levure chimique et le bicarbonate de soude. Ajouter les flocons de quinoa, les pistaches et le sucre.

Incorporer le beurre et la vanille, bien mélanger et ajouter l'œuf. (La préparation doit bien se tenir quand on la presse entre les doigts.)

Façonner des boules de pâte de la grosseur d'une noix et les ranger au fur et à mesure sur les plaques. Aplatir légèrement les boules et laisser suffisamment d'espace entre elles afin qu'elles puissent s'étaler en cours de cuisson.

Cuire les biscuits au four de 10 à 12 minutes ou jusqu'à ce qu'ils soient dorés. Laisser refroidir complètement sur les plaques avant de les ranger dans un contenant hermétique. Ils seront croustillants à l'extérieur et tendres à l'intérieur.

Vous pouvez congeler la pâte si vous n'avez pas l'intention de cuire les biscuits le jour même.

Biscuits tendres de Noël

 Donne environ 30 biscuits

150 g (1 tasse) d'abricots séchés, hachés grossièrement

150 g (1 tasse) de raisins secs dorés, hachés grossièrement

100 g (⅔ de tasse) de cerises confites ou glacées, hachées

40 g (⅓ de tasse) d'amandes en julienne, hachées

Le jus et le zeste râpé de 1 orange

160 g (⅔ de tasse) de beurre non salé, ramolli à température ambiante

160 g (⅔ de tasse) de sucre semoule (superfin)

1 c. à thé (à café) de pâte ou d'extrait de vanille

1 c. à thé (à café) de cannelle moulue

⅛ c. à thé (à café) de clou de girofle moulu

1 gros œuf

300 g (2 tasses) de farine de quinoa

1 c. à thé (à café) de levure chimique (poudre à pâte) sans gluten

Dans un bol, mélanger les abricots, les raisins, les cerises, les amandes, et le jus et le zeste d'orange. Couvrir de pellicule de plastique et laisser reposer à température ambiante pendant toute la nuit. Si possible, remuer une ou deux fois pendant le temps de repos.

Dans un bol, mettre le beurre, le sucre, la vanille, la cannelle et le clou de girofle. À l'aide du batteur électrique (mixeur), battre jusqu'à consistance légère et crémeuse. Ajouter l'œuf et continuer de battre jusqu'à ce que la préparation soit lisse.

Dans un autre bol, tamiser la farine de quinoa et la levure chimique. Mélanger avec la préparation de beurre juste ce qu'il faut pour amalgamer les ingrédients. Incorporer les fruits secs à l'aide d'une spatule.

Diviser la préparation en deux morceaux de même grosseur. Placer chaque morceau à l'extrémité d'une feuille de pellicule de plastique et former deux rouleaux de 25 cm (10 po) de longueur. Réfrigérer pendant quelques heures ou toute la nuit.

Préchauffer le four à 150 °C/300 °F/gaz 2.

Couper les rouleaux en tranches de 1 cm (½ po) et ranger celles-ci au fur et à mesure sur deux plaques non graissées. Cuire les biscuits au four de 15 à 20 minutes ou jusqu'à ce qu'ils soient légèrement dorés. Laisser refroidir complètement sur une grille.

Ces biscuits tendres se conservent environ une semaine dans un contenant hermétique.

Poudings au chocolat

Préchauffer le four à 180 °C/350 °F/gaz 4. Beurrer légèrement quatre ramequins de 250 ml (1 tasse).

Dans un bol, tamiser la farine, la levure chimique, le cacao et le sucre.

Ajouter l'œuf, le lait, la vanille et le beurre. Mélanger à l'aide du batteur électrique (mixeur) jusqu'à consistance lisse.

Répartir la préparation dans les ramequins.

Garniture : mélanger la cassonade et le cacao dans un bol. Verser l'eau bouillante peu à peu en battant à l'aide d'un fouet jusqu'à consistance lisse.

Verser doucement la garniture sur les poudings, puis ranger les ramequins sur une plaque.

Cuire les poudings au four de 20 à 25 minutes ou jusqu'à ce qu'ils soient fermes et spongieux au toucher. Laisser reposer pendant 10 minutes afin que la sauce épaississe.

Servir avec un peu de crème fraîche si désiré. (On peut réchauffer les restes de pouding.)

150 g (1 tasse) de farine de quinoa

2 c. à thé (à café) de levure chimique (poudre à pâte) sans gluten

30 g ($\frac{1}{3}$ de tasse) de poudre de cacao

180 g (¾ de tasse) de sucre semoule (superfin)

1 gros œuf

160 ml (⅔ de tasse) de lait

1 c. à thé (à café) de pâte ou d'extrait de vanille

80 g ($\frac{1}{3}$ de tasse) de beurre, fondu

Crème fraîche (facultatif)

GARNITURE

180 g (¾ de tasse) de cassonade ou de sucre roux bien tassé

20 g (¼ de tasse) de poudre de cacao, tamisée

310 ml (1 ¼ tasse) d'eau bouillante

On peut ajouter quelques gouttes d'essence de menthe à ce dessert. Si vous le préparez uniquement pour des adultes, parfumez-le avec 1 ou 2 c. à soupe de votre liqueur préférée.

Bouchées au chocolat

Donne environ 30 bouchées

Dans une poêle antiadhésive moyenne ou grande, faire griller légèrement et uniformément les flocons de quinoa à feu moyen-doux (il faut être vigilant, car ils peuvent brûler en un rien de temps). Dès qu'ils sont légèrement dorés et commencent à dégager une bonne odeur, les laisser refroidir complètement dans un bol.

Tapisser un moule de 20 cm x 20 cm (8 po x 8 po) de papier d'aluminium et réserver.

Dans une casserole moyenne, à feu doux, mélanger les chocolats, le beurre, la vanille et la mélasse claire jusqu'à ce que les chocolats et le beurre soient fondus.

Ajouter le quinoa grillé, les flocons de quinoa refroidis et les amandes. Verser dans le moule.

Réfrigérer toute la nuit ou jusqu'à consistance ferme. Couper en bouchées de même grosseur.

Conserver les bouchées au réfrigérateur dans un contenant hermétique.

75 g (¾ de tasse) de flocons de quinoa

200 g (7 oz) de chocolat noir, haché

100 g (3 ½ oz) de chocolat au lait, haché

120 g (½ tasse) de beurre

1 c. à thé (à café) d'extrait de vanille

2 c. à soupe de mélasse claire

180 g (1 tasse) de quinoa grillé (recette page 37)

60 g (½ tasse) d'amandes effilées

Gâteau à l'orange, aux cerises et à la noix de coco

6 à 8 portions

120 g (½ tasse) de beurre non
   salé, ramolli à température
   ambiante

180 g (¾ de tasse) de sucre semoule
   (superfin)

Le zeste râpé de 1 orange

1 c. à thé (à café) de pâte
   ou d'extrait de vanille

2 gros œufs, séparés

300 g (2 tasses) de farine
   de quinoa

1 c. à thé (à café) de levure
   chimique (poudre à pâte)
   sans gluten

Le jus de 1 orange

60 ml (¼ de tasse) de lait

75 g (¾ de tasse) de noix de coco,
   râpée

250 g (¾ de tasse) de confiture
   ou de tartinade de cerises

Préchauffer le four à 180 °C/350 °F/gaz 4. Graisser généreusement un moule à pain de 23 cm x 25,5 cm (9 po x 5 po).

Dans un bol, battre le beurre et le sucre jusqu'à consistance légère et duveteuse. Incorporer le zeste d'orange et la vanille. Ajouter les jaunes d'œufs et battre vigoureusement.

Dans un autre bol, tamiser la farine de quinoa et la levure chimique. Incorporer à la préparation de beurre en alternant avec le jus d'orange et le lait (ne pas s'inquiéter si la préparation semble coaguler).

Incorporer la noix de coco et la confiture. Dans un bol, battre les blancs d'œufs jusqu'à formation de pics mous, puis les plier dans la préparation.

Verser dans le moule et cuire au four de 50 à 60 minutes ou jusqu'à ce qu'une brochette insérée au centre du gâteau en ressorte propre.

Pouding aux pommes

Préchauffer le four à 180 °C/350 °F/gaz 4. Beurrer légèrement un plat de cuisson profond de 2 litres (8 tasses).

Dans une casserole, porter à ébullition l'eau, les pommes, la cassonade, et le zeste et le jus de citron. Couvrir et laisser mijoter de 7 à 10 minutes ou jusqu'à ce que les pommes soient tendres.

Entre-temps, dans un bol, à l'aide du batteur électrique (mixeur), battre le beurre, le sucre et la vanille jusqu'à consistance légère et duveteuse. Ajouter les œufs et bien mélanger.

Dans le même bol, tamiser la farine de quinoa, la levure chimique et le bicarbonate de soude. Plier dans la préparation d'œufs à l'aide d'une spatule en même temps que les amandes moulues et le lait.

Étaler les pommes tendres et chaudes dans le plat de cuisson, puis couvrir de la préparation de farine à l'aide d'une cuillère.

Parsemer d'amandes effilées et cuire au four de 20 à 25 minutes ou jusqu'à ce que le pouding et les amandes soient dorés.

Servir le pouding chaud ou froid avec de la crème anglaise.

---

60 ml (¼ de tasse) d'eau

5 grosses pommes, pelées, évidées et coupées en tranches

120 g (½ tasse) de cassonade ou de sucre roux

Le zeste râpé de 1 citron

1 c. à soupe de jus de citron

80 g (⅓ de tasse) de beurre à température ambiante

120 g (½ tasse) de sucre semoule (superfin)

1 c. à thé (à café) de pâte ou d'extrait de vanille

2 gros œufs

150 g (1 tasse) de farine de quinoa

½ c. à thé (à café) de levure chimique (poudre à pâte)

½ c. à thé (à café) de bicarbonate de soude

30 g (¼ de tasse) d'amandes moulues

3 c. à soupe de lait

80 g (⅓ de tasse) d'amandes effilées

Crème anglaise maison ou du commerce

Ces barres font une excellente collation nutritive. On peut hacher grossièrement les arachides afin de pouvoir couper les barres sans difficulté. Il est aussi possible de les remplacer par des noix ou de les omettre tout simplement.

Barres au chocolat, aux graines et aux noix

Donne environ 20 barres

Préchauffer le four à 180 °C/350 °F/gaz 4. Graisser légèrement un moule de 29 cm x 19 cm (12 po x 7 ½ po), puis tapisser de papier-parchemin.

Dans un grand bol, tamiser la farine de quinoa et la levure chimique. Ajouter les flocons de quinoa et la cassonade. Bien mélanger en défaisant les grumeaux de cassonade.

Ajouter 125 g (½ tasse) de grains de chocolat, les arachides, les amandes, les graines de citrouille et les graines de tournesol. Bien mélanger.

Verser le beurre fondu, la vanille et les œufs dans la préparation de farine et mélanger avec soin jusqu'à ce que tous les ingrédients soient bien amalgamés sans être secs. (Il est important que le beurre et les œufs soient bien répartis dans la farine.)

Avec le dos d'une cuillère, presser la préparation dans le moule. Parsemer de grains de chocolat au goût et cuire au four de 20 à 25 minutes ou jusqu'à ce que le dessus soit doré.

Sortir le moule du four et laisser refroidir environ 15 minutes avant de découper en barres de même grosseur. Laisser refroidir dans le moule pendant quelques minutes, puis soulever les barres à l'aide du papier-parchemin pour les déposer sur une grille. Laisser refroidir complètement.

115 g (¾ de tasse) de farine de quinoa

1 c. à thé (à café) de levure chimique (poudre à pâte) sans gluten

100 g (1 tasse) de flocons de quinoa

240 g (1 tasse) de cassonade ou de sucre roux

Grains de chocolat noir ou au lait

125 g (¾ de tasse) d'arachides crues ou rôties, hachées grossièrement

60 g (½ tasse) d'amandes en julienne blanchies

120 g (½ tasse) de graines de citrouille ou de potiron

125 g (¾ de tasse) de graines de tournesol

60 g (¼ de tasse) de beurre, fondu

1 c. à thé (à café) de pâte ou d'extrait de vanille

2 gros œufs, battus légèrement

Ce pouding devient plus crémeux après avoir été réfrigéré. Ajustez la quantité de cardamome à votre goût. L'épice moulue a souvent un goût moins prononcé que les gousses. Dans un mortier, à l'aide d'un pilon, réduisez les graines en fine poudre puis jetez les gousses.

Pouding crémeux aux raisins secs

4 à 6 portions

1,12 litre (4 ½ tasses) de lait

180 g (1 tasse) de quinoa, rincé et égoutté

60 g (¼ de tasse) de sucre semoule (superfin)

120 g (½ tasse) de cassonade ou de sucre roux

½ à ¾ c. à thé (à café) de cardamome moulue

¼ de c. à thé (à café) de cannelle moulue

150 g (1 tasse) de raisins secs noirs ou dorés

1 c. à thé (à café) d'extrait de vanille

Dans une grande casserole, à feu moyen-doux, chauffer le lait et le quinoa avec le sucre, la cassonade, les épices, les raisins secs et la vanille. Remuer jusqu'à dissolution du sucre et de la cassonade.

Porter doucement à ébullition en prenant soin de ne pas utiliser un feu trop élevé, sinon le lait caillera. Couvrir et laisser mijoter à feu doux, en remuant de temps à autre, de 30 à 35 minutes ou jusqu'à ce que le pouding soit épais et crémeux.

Retirer du feu et laisser reposer à couvert de 20 à 30 minutes afin que le pouding devienne plus onctueux en absorbant plus de liquide.

Verser le pouding dans des bols individuels ou un grand bol. Servir chaud ou réfrigérer pendant quelques heures, ou encore toute la nuit, si l'on préfère le servir froid.

Ce gâteau d'une simplicité enfantine ne contient pas de gluten, d'œufs et de produits laitiers. Savourez-le tel quel ou avec un peu de beurre. Un régal avec une bonne tasse de thé !

Gâteau aux dattes, au gingembre et aux noix

Préchauffer le four à 160 °C/325 °F/gaz 3. Beurrer un moule à pain antiadhésif de 20 cm x 10 cm x 5 cm (8 po x 4 po x 2 po).

Dans un bol, mettre les dattes, le gingembre confit, le sucre, les noix, la vanille, le beurre et le bicarbonate de soude.

Verser l'eau bouillante, bien mélanger et laisser reposer environ 10 minutes.

Dans un autre bol, tamiser la farine de quinoa et la levure chimique, puis mélanger avec la préparation de dattes. Verser dans le moule et cuire au four pendant 1 heure à 1 heure 10 minutes. Après 50 minutes de cuisson, couvrir le moule de papier d'aluminium si le dessus du gâteau brunit trop rapidement.

Environ 55 minutes après la mise au four, insérer une brochette au centre du gâteau pour vérifier la cuisson. Laisser reposer le gâteau dans le moule pendant 10 à 15 minutes avant de le démouler sur une grille. Couper en tranches à l'aide d'un couteau dentelé.

350 g (2 tasses) de dattes séchées, hachées grossièrement

90 g (½ tasse) de gingembre confit, haché

180 g (¾ de tasse) de sucre brut

60 g (½ tasse) de noix, hachées

1 c. à thé (à café) de pâte ou d'extrait de vanille

2 c. à soupe de beurre, ramolli

1 c. à thé (à café) de bicarbonate de soude

250 ml (1 tasse) d'eau bouillante

225 g (1 ½ tasse) de farine de quinoa

½ c. à thé (à café) de levure chimique (poudre à pâte) sans gluten

Soufflés au chocolat noir et à l'orange

Préchauffer le four à 180 °C/350 °F/gaz 4. Beurrer quatre ramequins de 250 ml (1 tasse).

Dans un bol, battre le sucre, les jaunes d'œufs et l'œuf entier jusqu'à ce que la préparation soit pâle et crémeuse.

Ajouter la farine de quinoa, verser le lait et battre à l'aide d'un fouet jusqu'à consistance lisse.

Verser dans une casserole et porter à ébullition à feu doux en remuant sans cesse jusqu'à épaississement.

Ajouter le chocolat, le café, et le zeste et le jus d'orange. Retirer du feu et remuer jusqu'à ce que le chocolat soit complètement fondu.

Dans un bol propre, battre les blancs d'œufs jusqu'à formation de pics fermes, puis les plier dans la préparation de chocolat.

Verser la préparation dans les ramequins et passer un doigt tout autour pour former un sillon (cela permettra aux soufflés de gonfler plus facilement).

Cuire les soufflés au four de 30 à 35 minutes ou jusqu'à ce qu'ils soient gonflés et fermes au toucher.

Saupoudrer de sucre glace au goût et servir aussitôt avec des petits fruits.

---

120 g (½ tasse) de sucre semoule (superfin)

3 gros œufs, séparés

1 gros œuf entier

4 c. à soupe de farine de quinoa

375 ml (1 ½ tasse) de lait

200 g (7 oz) de chocolat noir, en petits morceaux

½ c. à thé (à café) de café soluble non dilué

Le zeste râpé et le jus de 1 grosse orange

Sucre glace

Fraises ou framboises fraîches

La base du gâteau au fromage est habituellement composée d'un biscuit. Dans cette recette sans gluten, le fond est préparé avec de la farine et des flocons de quinoa. Il est normal que le gâteau se fendille après la cuisson.

Gâteau au fromage parfumé au citron

4 à 6 portions

150 g (1 tasse) de farine
   de quinoa
100 g (1 tasse) de flocons
   de quinoa
60 g (¼ de tasse) de sucre brut
1 c. à thé (à café) de levure
   chimique (poudre à pâte)
1 c. à thé (à café) de cannelle
   moulue
160 g (⅔ de tasse) de beurre
   non salé, fondu
500 g (2 tasses) de fromage à la
   crème à température ambiante
250 ml (1 tasse) de crème sure
   ou aigre
3 gros œufs
240 g (1 tasse) de sucre semoule
   (superfin)
1 c. à thé (à café) de pâte
   ou d'extrait de vanille
Le zeste râpé de 1 citron
4 c. à soupe de jus de citron
Crème fouettée fraîche
Fraises fraîches, coupées en deux

Préchauffer le four à 180 °C/350 °F/gaz 4.

Dans un bol, mélanger la farine et les flocons de quinoa avec le sucre brut, la levure chimique et la cannelle. Incorporer le beurre fondu et bien mélanger.

Graisser le fond d'un moule à charnière rond de 20 cm (8 po). Presser la préparation dans le moule et cuire au four pendant 15 minutes. Sortir le moule du four et régler la température à 160 °C/325 °F/gaz 3.

Placer un petit bol d'eau chaude à l'épreuve de la chaleur sur la grille inférieure du four. L'humidité empêchera le gâteau de sécher en cours de cuisson.

Au robot culinaire, mélanger le fromage à la crème, la crème sure, les œufs, le sucre semoule, la vanille, et le zeste et le jus de citron jusqu'à consistance lisse (éviter de trop mélanger inutilement).

Verser la préparation dans le moule et cuire le gâteau au four de 50 à 55 minutes ou jusqu'à ce que les bords soient légèrement gonflés et que le centre soit encore un peu mou. Laisser refroidir à température ambiante pendant au moins 30 minutes. Réfrigérer pendant quelques heures avant de servir.

Démouler le gâteau et garnir au goût de crème fouettée et de fraises.

Ces tartelettes sont meilleures le jour même de leur préparation. Elles sont irrésistibles avec de la crème anglaise ou de la crème glacée à la vanille. Utilisez vos petits fruits préférés, frais ou surgelés. Un délice en toutes saisons !

Tartelettes à l'orange et aux petits fruits

8 portions

Laisser décongeler les petits fruits partiellement dans une passoire.

Préchauffer le four à 160 °C/325 °F/gaz 3. Beurrer huit moules à tartelettes ronds de 10 cm x 2 cm (4 po x ¾ de po).

Dans un grand bol, tamiser la farine de quinoa et la levure chimique. Ajouter les amandes et 120 g (½ tasse) de sucre, puis bien mélanger. Dans un autre bol, à l'aide d'un fouet, mélanger l'œuf, le lait, la vanille et le beurre. Ajouter la moitié du zeste d'orange et le jus d'orange.

À l'aide d'une spatule, mélanger les ingrédients humides avec les ingrédients secs jusqu'à ce qu'ils soient parfaitement amalgamés.

Remplir les moules aux trois quarts et taper doucement le fond sur le plan de travail pour éliminer les bulles d'air.

Garnir de petits fruits. Avec les doigts, mélanger le reste du zeste d'orange avec 3 c. à soupe de sucre semoule, puis répartir sur les tartelettes.

Cuire au four de 25 à 30 minutes.

Laisser reposer de 5 à 10 minutes avant de démouler avec soin. Laisser refroidir sur une grille.

240 g (1 ½ tasse) de petits fruits surgelés

225 g (1 ½ tasse) de farine de quinoa

1 c. à thé (à café) de levure chimique (poudre à pâte)

90 g (¾ de tasse) d'amandes moulues

120 g (½ tasse) + 3 c. à soupe de sucre semoule (superfin)

1 gros œuf

160 ml (⅔ de tasse) de lait

1 c. à thé (à café) d'extrait de vanille

60 g (¼ de tasse) de beurre, fondu

Le zeste râpé de 2 oranges

Le jus de ½ orange

Pointes aux figues et aux noix

Donne 16 pointes

250 g (1 ½ tasse) de figues séchées,
   hachées finement

3 c. à soupe d'eau

Le jus et le zeste râpé
   de 1 grosse orange

150 g (1 tasse) de farine
   de quinoa

100 g (1 tasse) de flocons
   de quinoa

60 g (¼ de tasse) de sucre brut

1 c. à thé (à café) de levure
   chimique (poudre à pâte)

1 c. à thé (à café) de cannelle
   moulue

2 gros œufs

160 g (⅔ de tasse) de beurre
   non salé, fondu

60 g (½ tasse) de noix, hachées
   finement

1 blanc d'œuf

1 c. à thé (à café) de pâte ou
   d'extrait de vanille

125 g (1 ¼ tasse) de flocons
   de noix de coco

Préchauffer le four à 180 °C/350 °F/gaz 4. Tapisser un moule de 18 cm x 29 cm (7 po x 11 ½ po) de papier-parchemin en le laissant dépasser sur les côtés.

Dans une petite casserole, mélanger les figues, l'eau, et le jus et le zeste d'orange. Couvrir et cuire à feu doux environ 10 minutes ou jusqu'à ce que les figues soient ramollies et presque collantes.

Dans un bol, mélanger la farine et les flocons de quinoa, le sucre, la levure chimique et la cannelle. Ajouter un œuf et le beurre fondu et bien mélanger. La préparation doit être humide et bien se tenir.

Presser la préparation dans le moule et cuire au four pendant 15 minutes. Retirer du four et couvrir avec la préparation de figues. Étaler les noix sur le dessus.

Dans un bol, à l'aide d'un fouet, battre le deuxième œuf avec le blanc d'œuf et la vanille, puis incorporer la noix de coco. À l'aide d'une fourchette, étaler la préparation sur les figues et les noix. Cuire au four de 25 à 30 minutes ou jusqu'à ce que le dessus soit doré.

Laisser tiédir dans le moule, puis couper en carrés de même grosseur. Couper ensuite les carrés en biais pour obtenir des pointes.

La bonne odeur de ce gâteau se répandra comme par enchantement dans toute votre maison. Servez-le chaud ou froid avec une tasse de thé ou de café.

Gâteau aux épices

6 à 8 portions

Préchauffer le four à 160 °C/325 °F/gaz 3. Graisser un moule à gâteau rond de 20 cm (8 po).

Dans un bol, tamiser la farine de quinoa, la levure chimique, le bicarbonate de soude, 2 c. à thé (à café) de cannelle, le piment de la Jamaïque et ½ c. à thé (à café) de muscade.

À l'aide du batteur électrique (mixeur), battre le beurre, la vanille et le sucre jusqu'à consistance crémeuse. Ajouter les œufs un à un et battre jusqu'à consistance légère et duveteuse.

À l'aide d'une spatule, plier la farine dans les ingrédients humides en alternant avec le lait.

Verser la préparation dans le moule et cuire le gâteau au four de 30 à 35 minutes ou jusqu'à ce qu'une brochette insérée au centre en ressorte propre.

Retirer le gâteau du four et laisser reposer environ 15 minutes avant de démouler.

Saupoudrer de sucre glace au goût et servir chaud avec un peu de crème et de cannelle.

225 g (1 ½ tasse) de farine de quinoa

1 ½ c. à thé (à café) de levure chimique (poudre à pâte) sans gluten

1 ½ c. à thé (à café) de bicarbonate de soude

2 c. à thé (à café) de cannelle moulue

1 c. à thé (à café) de piment de la Jamaïque moulu

½ c. à thé (à café) de muscade moulue (et un peu plus pour saupoudrer)

120 g (½ tasse) de beurre, ramolli à température ambiante

1 c. à thé (à café) de pâte ou d'extrait de vanille

240 g (1 tasse) de sucre semoule (superfin)

2 gros œufs

80 ml (⅓ de tasse) de lait

Sucre glace

Crème

Index

Guy Saint-Jean Éditeur
3440, boul. Industriel
Laval (Québec) Canada H7L 4R9
450 663-1777
info@saint-jeanediteur.com
www.saint-jeanediteur.com

....

Catalogage avant publication de Bibliothèque et Archives nationales du Québec
et Bibliothèque et Archives Canada
Patten, Rena
[Everyday quinoa. Français]
Quinoa tous les jours
Traduction de : Everyday quinoa.
Comprend un index.
ISBN 978-2-89455-734-1
1. Cuisine (Quinoa). 2. Livres de cuisine. I. Titre. II. Titre : Everyday quinoa. Français.
TX809.Q55P3714 2014   641.6'314   C2013-942207-2

....

Nous reconnaissons l'aide financière du gouvernement du Canada par l'entremise
du Fonds du livre du Canada (FLC) ainsi que celle de la SODEC pour nos activités d'édition.

Gouvernement du Québec – Programme de crédit d'impôt pour l'édition de livres – Gestion SODEC

Publié originalement en 2013 sous le titre *Everyday Quinoa* par New Holland Publishers Pty Ltd
© 2013, New Holland Publishers pour l'édition originale
© 2013, Sue Stubbs pour les photographies
Conception graphique : Tracy Loughlin
Photographies : Sue Stubbs
Stylisme : Tracy Rutherford

© 2014, Guy Saint-Jean Éditeur Inc. pour l'édition en langue française
Traduction et révision : Linda Nantel
Correction d'épreuves : Émilie Leclerc
Infographie : Amélie Barrette et Olivier Lasser
Conception de la couverture : Olivier Lasser

Dépôt légal — Bibliothèque et Archives nationales du Québec, Bibliothèque et Archives Canada, 2014
ISBN : 978-2-89455-734-1

Distribution et diffusion
Amérique : Prologue
France : Dilisco S.A.
Belgique : La Caravelle S.A.
Suisse : Transat S.A.

Imprimé en Chine
1re impression, janvier 2014

Guy Saint-Jean Éditeur est membre de l'Association
nationale des éditeurs de livres (ANEL).